国家出版基金项目
NATIONAL PUBLICATION FOUNDATION

《三联经典文库》

第二辑

2012年国家出版基金项目

三联经典文库

172

婚姻·子女·继承

沙千里　著

生活·讀書·新知　三联书店

图书在版编目(CIP)数据

婚姻·子女·继承 / 沙千里著. -- 北京 : 生活·读书·新知三联书店, 2014.1
（三联经典文库第二辑）
ISBN 978-7-108-04762-5

Ⅰ. ①婚… Ⅱ. ①沙… Ⅲ. ①婚姻法 – 中国 – 文集②继承法 – 中国 – 文集 Ⅳ. ①D923-53

中国版本图书馆CIP数据核字(2013)第261781号

172 婚姻·子女·继承

责任编辑 曹明明
封扉设计 蔡立国
责任印制 郝德华
出版发行 生活·讀書·新知 三联书店
(北京市东城区美术馆东街22号)
邮　　编 100010
经　　销 新华书店
印　　刷 北京鹏润伟业印刷有限公司
版　　次 2014年1月北京第1版 2014年1月北京第1次印刷
开　　本 787毫米×1092毫米 1/32 印张 6.375
字　　数 86千字
定　　价 23.00元

《三联经典文库》出版缘起

适逢生活·读书·新知三联书店八十华诞，为弘扬传统，接续文脉，回报读者，服务社会，我们决定策划出版《三联经典文库》。

1932年7月，生活书店在上海创办，此后，读书出版社和新知书店相继成立。本文库第一辑、第二辑所选图书，来自于这三家出版单位及其分支机构，以及1948年生活·读书·新知三联书店成立后的出版物，始于1932年，截至1951年，两辑各一百种。此为第二辑，涉及政治、经济、社会、军事、思想文化诸领域，涵盖专著、文集、散文、小说、诗歌、传记、报道等体裁，既有直面现实、追求真理、讴歌真善美、抨击假恶丑的原创作品，又有引介世界各国先进文化、传播新知、开启民智的迻译之作，真实记录了那一代知识分子的思考与探索、理想与愿景和对中华民族文化传承与创新所做出的努力与贡献。

本文库所辑入各书，多为名家名作，在版本方面，以初版一印本或经著译编者审定、修订、增订过的版本为首选，因此本文库又具有较为珍贵的版本价值和收藏价值。

本文库还将编选续辑，使之成为恢弘文化工程。诚挚希望读者给予批评和指正，帮助我们完善编选工作，再现三联经典作品之风采。殊为遗憾的是，由于年代久远，一些原著译编者及其后人未能取得联系并奉付稿酬，诚盼版权所有者与我们联系。祈愿三联前辈所创造的精神财富能薪火相传，为中华文化的伟大复兴增光添彩。

《三联经典文库》编辑委员会

2013 年 8 月

凡　例

一、本文库为重排本，由繁体字竖排版改为简体字横排版。

一、以忠实于原作、整旧如旧为编辑原则，对当时使用的专有名词、外文译名，以及民国时期的语言和特色予以保留。

一、原书注释如旧，编者所出的注释，均以“编者注”标明，以示与原书注释的区别。

一、对原书残缺或字迹漫漶之处，以□示代。

一、对繁简文本转换时的“如右”、“见左”一类，对应改为“如上（前）”、“见下（后）”。

一、对原书中各种错讹脱衍之处，直接订正，不再以其他符号标示。

一、对数字、标点符号的用法，在不损害原文语义的情况下，做必要的规范。

一、本文库各书均前插原书书影、原书版权页和文库版“本书出版说明”。

一、本书出版说明的撰写，以客观中立为原则，扼要介绍本书的内容、版本流转、著译编者的情况。

本书出版说明

1933年，应友人黄启堉和华东广播无线电台主持人之邀，沙千里做客电台向听众播讲法律知识，“内容力求平易，用语也尽量浅豁，希望能够为没有一点法律知识的人们所接受”。作者原想将其中关于婚姻和财产部分的内容从讲稿中单独抽出、刊印成书，后因杂事纷冗而未果。1936年11月“七君子事件”轰动全国，作者身陷囹圄，“长日无聊”，遂将昔日的讲稿删削增补后付梓。在书中，作者热切呼唤以法治来取代人治，以法维权，从而促进社会进步。

本书由上海生活书店于1937年10月初版，1938年5月在汉口再版。1947年4月生活书店将其收录至“生活丛书”中出版胜利后第一版。此次出版，即以此为底本。

沙千里（1901-1982），原名重远，曾用名仲渊。上海人。早年主编《青年之友》宣传反帝爱国思想。“九·一八事变”后，参与组织全国各界救国联合会。1936年11月与沈钧儒、邹韬奋等七人被国民党政府逮捕入狱，为“七君子”之一。1938年加入中国共产党。1949年后出任上海市军管会和市政府副秘书长，出席全国政协第一届全体会议。历任贸易部副部长、商业部副部长、轻工业部部长、全国工商联副主任委员、全国人大常委会委员兼副秘书长、全国政协副主席等职。著有《七人之狱》、《抗战与民众运动》等作品，译有《格拉斯顿传》。

生活·读书·新知三联书店

2013年8月

生活书店 1947 年 4 月胜利后第一版书影

生活叢書

著者 沙千里

發行人 徐伯昕

發行所 生活書店 上海重慶南路六號
重慶・星加坡

特約經售處 聯營書店
漢口・重慶・成都

基本定價 國幣伍圓整

民國三十六年四月勝利後第一版 S(95)1—2000

原书版权页

目次

生活丛书　1

初版序　3

改版题记　5

法律知识的普及　7

从前没有法律　7

法律太专门化了　8

法律知识的普及　9

民法上的问题为范围　12

订　婚　13

第三件大事　13

从“抢亲”起　13

自由婚姻　14

订婚的自主　15

四个问题　17

婚约的解除　25

婚约能解除吗　25

可以解除　26

六指头的笑话　28

解约的法定原因　28

解约的方式　42

赔偿损失　42

精神上的抚慰金　43

结　婚　45

不仅是男女的关系　45

初婚和再婚　46

单婚和重婚　46

正常婚和变态婚　47

顺缘婚和逆缘婚　48

结婚的年龄　49

重事实还是重形式　50

结婚要有公开的仪式　52

近亲不许结婚　53

表兄弟姊妹　58

养父母与养子女　58
结婚无效　59
另外二点　59
劣种禁婚　60

夫妻财产制　63
女子现在有财产权了　63
夫妻财产制　64
约有五种　65
法定和约定　65
约定的二个要件　67
约定后的变更　69
何必再要同意　69
几种财产　70
特有财产　71
联合财产制　72
与第三者的关系　74
死亡及离婚后的财产　75
共同财产制　76
统一财产制　78
分别财产制　79

离　婚　81
离婚制造厂　81
大减价大拍卖　83
离　婚　83
男子本位　84
协议离婚　85
法定原因　86
只有十种　87
汉奸也不能离　99
性情不合也不能离　100
要求离婚自由　101

离婚后　103
究竟是麻烦的事　103
子女由谁去教养　104
和子女断绝关系吗　105
姻亲关系消灭了　106
“姓”的问题　107
和别人结婚　108
“破镜重圆”　110
禁止和相奸者结婚　111

财产分割　112
损害赔偿　113
赡养费　115

子　女　117
保护子女的趋势　117
对于子女的歧视　118
子女的分类　120
婚生子女的三个条件　121
婚生子女的认定　123
受胎时间　124
非婚生子女　125
非婚生子女的认领　126
请求生父认领的情形　127
不得认领的情形　128
请求认领的“人”　130
请求认领的时期　131

遗产继承　133
只有宗祧继承　133
宗祧制度的废止　134
可惜不能把遗产废除也　135

六个问题 136

遗产的分配 149
等于奖励游民 149
先说应得多少 150
生前支配 155
不能任意分派 156
特留分 157

遗 嘱 161
遗嘱和遗言 161
法定的形式 162
立遗嘱人的资格 163
要注意的一点 164
一件可惜的事 165
法定方式有五种 166
取消遗嘱 176
另定遗嘱 177

生活丛书

很久以来，我们深感读书界亟需一套丛书，这丛书所包含的范围极广，或为供给实际知识的，或为助长生活趣味的，但是谈知识也不是枯燥的读本，讲趣味也绝非无聊甚至有害。世界上尽有许多实际的知识为有系统的著述所不载，生活中也总有时需要一点消遣性而又是有益的读物。凡适合这标准的，无论传记、逸事、游记、杂谈、生活常识、科学知识、珍闻、史话、笔记、书简、日记……都将收入，使成为人人可读的一套丛书。这就是“生活丛书”所希望做到的。

初版序

中国三四十年来，天天在讲法律。到现在，事实上渐次走上法治的正轨，如法院设置日趋普遍，法规编订也逐步完成，不能不说是有绝大的进步。然而，中国长久的在“人治”之下，一般民众，依然还迷信着“青天老爷”、“包龙图”之类类似神话的“人治”观念，不知现代法律为何物。国家未臻完全“法治”之境，枉法徇私的事情，层出不穷，也是无可讳言的事实。上下交相“漠视”，以致人权失其保障；损害国家主权的治外法权，竟历数十年而不得收回。我们推究其根本原因，终觉得法律知识的不能普及于人民，要为重大原因之一。但是法律本身的繁杂专门，无疑的也就成为使它不能普及的原因之一。因之我常常以为假使把法律通俗大众化起来，使大家都明白他们有着法律上的权利可以为自己争取应享的利益，排除非法的侵害；同时，并得知可以人民的力量，依据法律的规定来督责执法者遵守法律，杜绝其玩法非法的举措，我想对于法治的促进，法权的收回，是大有裨益的。一九三三年友人黄启堉君和华东广播无线电台的主持者约我在电波中，对一般大众播讲法律问题，我便欣然接受。所以当时所讲，内容力求平易，用语也尽量浅豁，希望能够为没有一点法律知识的人们所接受。这里所刊的就是当时讲稿的一部分，本来很久想刊印出来，只因人事上的繁忙，没有工夫整理。自从因“救国会事件”关在苏州看守所中四个月之后，法院提起公诉，长日无聊，才把它来增损了一些，又加上了《结婚》和《子女》二篇，付印出版，其动机，可说与演讲的那个时候并无二样。另外《女子能略诱吗》一篇，因为和婚姻问题，也有关系，所以作为附录。

中华民国二十六年六月二十二日被捕的第七个月

改版题记

本书原系法律播讲的讲稿，曾于二十六年作为单行本出版过。完全以通俗趣味的形式，把法律的常识，介绍于听众；中间也有我自己不少的批评。现在，发行者拟把本书列为“生活丛书”之一，于是我又重新校阅一过。我觉得书中所涉及的法律，十年来并无改动，所以只把一些语句稍加修饰。我感觉欣慰的，我在书中所持的见解和主张，虽在十年后的今天，犹无需乎更改修正。但我也不禁有些惆怅，那就是这不短的十年，中国法律，竟依然无所进步，照样还留着这么多的缺点；我十年前的批评，竟然依旧适用！

这是什么原因呢？我不能不特别指明，法律原来不是矫然独立的东西。它是依政治制度、经济基础的改变，而后才能改革的。今日中国的政治经济，既然还是十年前的老样，那么法律又何能更进步，更新鲜呢？因此，我们可以说：如果要中国的法律改得更合理，更少缺点；使我十年前的批评，应该修正；那就要中国的政治经济合理而无缺点，才能达到。否则，再过几个十年，还不是依然如旧？

我希望读者，在本书这法律的圈子里，兜了一兜之后，认识这一点！

中华民国三十六年元旦在上海平正法律事务所

法律知识的普及

从前没有法律

古代人类稀少，人口不多，交通又极不便，彼此不相往来，人与人之间不生什么关系：所以没有所谓法律，也不需要什么法律。到后来，人口渐繁，文化也日渐进步，大家互相往来，于是发生种种关系，有时不免发生纠纷，为解决此种纠纷，便渐渐形成一种规律。就是人类的生活，合于这规范的，便算是合法，否则大家认为违法，而有加以惩罚的权利。原始的法律大概是这样的。换句话说，法律在最早的情形是如此的：当时并没有像现在这样有一条一条的条文，死板板地有什么叫做“法律”的。

法律太专门化了

后来，人类日益进步，文化日益发达，人与人的关系也一天一天复杂，因此起先的习惯规律不再适用，而各种法律便一样样制出来，并且一天天复杂，也一天天专门化了。到了现在，普通人要完全明了法律的，真是非常的少，就是要知道法律的大概，或法律的常识的，也不是一件容易的事。所以现在的法律，有人说是贵族化，专门化了，很有点道理。的确，现在的法律，非但专门，而且复杂纷纭，种类多至几百，每种的条文，可以多至一千以上，当然不是普通一个人所能明了的。然而依理论来说，法律既是人民生活的规范，是每一个人应该明了的，而且要每一个人民都明了才对。譬如极平常的一件事：如订立合同契约，或应当签字的任何一件事。照法律讲，必定要自己亲自签字方始发生效力。然而因为中国教育不普及，不能写字的还很多，所以有时连自己的姓名，都不会写的（尤以内地农村妇女为甚）。于是便马马虎虎在契约上画一个“十”字便算了。不知道这在法律上是不生效力的。因为十字的笔画既少，不容易鉴别真伪，单签十字，容易发生弊端和纠纷，法律上不能认为完全。诸位不要以为我说不生效力了，便以为中国人不识字的很多很多，便没有资格订立契约了。不是的，法律上虽不认画十字为有效，却不是绝对的。这是法律上的郑重，不能单签十字便有效。但另有变通的办法，就是如果只会画十字而不能写姓名的，如有二个见证人签字去证明他的确亲画十字，那便与亲自签字一般有法律上的效力了。不知道的人，每每便画了一个十字算了，于是不幸发生了事故，便无法救济。这样极平常的事情，也不知道有事先补救的办法而不去应用，以致便酿成许多纠纷。

法律知识的普及

还有像离婚一件事，现在许多人以为法律上规定很自由，夫妻一有不合，即可离婚脱离关系，以致闹离婚的多得非常，而结果却不能离，不许离，大吃其苦头！这是什么缘故呢？完全是不明白法律的缘故。原来法律上除承认双方同意协议离婚，不管你们有没有理由外，其他非有法律上规定的原因，是不许随便离的。乃不懂法律的，毫无理由，或因很小的事件，却大闹其离婚，结果受到莫大的痛苦和损失。这种情形，有许多人都以为现在人心不古，道德败坏，所以如此：然而以纯粹的法律见地来说，其原因却在人民对于法律的认识太薄弱了。我们不要说普通的人，不能明了法律，甚而至于自己很有学问，很有地位的人，都是这样。你看，什么有名的乡绅，什么有名的学者和诗人，也添出了不少的花样，给新闻纸做材料，这种现成的事实多得太多了，我也不必举出那一件事来做例子。但是我们可是问一问，他们是不是不守法呢？我们的回答，却可以说，他们不明白他们这种事，这样做，是违背法律的，以致闹成笑话，与社会以恶劣的影响。如知道其行为是触犯法律的，他们也许不会做出来了，所以若从纯粹的法律见解来说，现在诉讼事件的多，法院里挤满了人的缘故，一部分的确由于大家不明白法律的缘故，法律太专门太不普及了。——当然，我们不能否认有其政治、经济、社会种种的背景。因此使法律普及化，把一切的法律使大家都明了，使社会上人们一个个都知道法律，明了法律，法律知识普及了，无疑可以减少一部分的扰攘和许多不幸和苦痛的。譬如就男子对于女子的犯罪而论，我相信现在大家天天看报，看见什么强奸遗弃等类的新闻，由此知道了法律是有制裁，判决是有罪刑的，至少使得人们心念中，明白对于未满十六岁的女子，未成年的女子等有一种不敢或不能欺侮的观念；因此在行为上不得不敛迹一些，而减少许多不幸。所以我以为从事法律任务的人们固然在保障法律，而最大的责任，是应该怎样去使法律知识普及起来，让大家都明了法律的。这种事诚然在执行律师职务的本身是不利益的，因为大家都知道了法律，犯罪减少了，纠纷也少了，律师的业务必然要受影响了；然而对于社会是有利益的，那么牺牲小我的利益，是应该而值得做的。所以华东公司添加一个“法律常识演讲”的节目，将法律的常识，借空气电浪的传布，来使多数人获得法律的知识，而其主持人要我来担任的时候，我觉得与我平常的见解相符合，因此就欣然的答应下来。今天得有机会与许多近的远的朋友讲话，觉得非常愉快，同时也要感谢华东公司给我这样一个机会。

民法上的问题为范围

法律，刚才我已经说过，是非常的多，从民法、刑法，以至商法、诉讼法等等，不一而足。而每一种之中又分成许许多多，如民法中，有债务、债权、物权、亲属、继承等；商法中又有公司法、票据法、保险法，以及交易所法、商标法等；此外更有土地法、出版法等，正是一时也数不清。不过这许许多多的法律，也不是一般人都需要知道的，而是特种人们应当研究的。所以我想现在只要把普通一般人需要知道的，应该知道的先来讲讲。根据这个理由，我先把和一般人较有密切关系的民法上的问题，作为演讲的范围。至于讲的方法，所有关于纯学理的理论，当尽量的减少。因为研究学理和理论，是法律学校的事，是成为一个专门家的事，而不是普通一般人所要的。

订　婚

第三件大事

一个人，从龆龄到长成，有最重大的三件事：第一是求学，第二是择业，第三是婚姻。这三件事，攸关一生的祸福。人因此可以获得美满的生活，也可以由此沦入苦海。所以成为人生最重大问题。第一、第二两件事，于法律上没有多大关联，不是我今天要讲的。现在把第三件大事提出来谈谈。

从“抢亲”起

讲到婚姻，在初民社会，大都以掠夺为惟一手段。那时人智未开，而性情又多强悍不驯，“强凌弱”、“众欺寡”也成为当时社会一般的现象，所以婚姻都由暴力而成。换句话说，就是用暴力去掠夺人家的妇女，作为自己的妻子。被掠夺者因为力所不敌，也只得听其自然。现在中国内地尚有“抢亲”的风俗，可说是初民社会遗留下来的陋习。然而掠夺毕竟是粗暴野蛮，社会一进化就觉得这种行动扰攘纠纷，非社会之福。所以嗣后的婚姻，便进化到以衣帛财宝来买卖的地步。这时候，女子在社会上的地位，非常低微，等于一件东西：以东西交换东西，在那时视为当然。现在中国通行的婚姻，到处还流行着“聘金六礼”之类，实在存在着浓厚的“买卖”的成分。这种买卖婚姻，一切选择和决定之权，完全操于家长的手中，男女两方的当事者，都无权顾问；以致造成种种怨偶，增加社会的纠纷，不仅个人幸福，终身牺牲。因之，代之而兴的，便是自由婚姻了。

自由婚姻

自由婚姻，其意义并不是单单说脱离家长的支配，由男女双方自作主张；同时还包括着自由意志的含义。

说得详细些，双方认为对的，便互相结合，结合后认为不能再营共同生活的时候，便互相分离，各走各路，完全由于各人的自由意志而不掺杂物质的或其他的问题在内。结合时既没有什么条件，分离时也不讲什么损失。照婚姻的极则说，这样确是极合于理想的。不过在整个社会经济，还维持着旧的关系的时候，是不容易达到；而且在事实上也会令社会发生更多的纷扰。所以法律上对于婚姻上的规定，也不能不随着当前的社会经济关系，而定出种种的条文。

订婚的自主

现在可以讲到中国的法律对于婚姻有什么样的规定了。今天先讲婚约的一部分，即关于“订婚”的一部分。

现在的《民法》，对于婚姻的订定，是采取相对的自由主义。就是原则上完全承认男女双方有自由订定婚约的权利；但例外如未成年人，则须得父母的同意，婚约才能有效：并不是绝对的都有自由的。

所谓自由者，《民法》上的规定是：“婚约应由当事人自行订定。”（《民法》第九七二条）换句话说，就是中国的法律，规定男女的婚约，无论何人，甚至自己的父母，也不能作主或干涉。在不久以前，一般习惯，男女的婚姻，一定要家长来决定，男女当事人，绝对没有权利可以自己主张。父母要把儿女配一个残废的，或者年龄不相当的，或者性情不明白的人，做子女的没有法律上的权利可以反对；虽然子女年岁已大，经验已富，也属如此。所以弄成了多多少少的怨偶，牺牲了多多少少的幸福。前清《现行律》明白规定：“嫁娶皆由祖父母、父母主婚；祖父母、父母俱无者，从余亲主婚。”将子女的自由，剥夺净尽。甚至要命听于完全不相干的“余亲”，而自己毫无顾问之权，不平孰甚！民国二年大理院把这个规定，在判例上也给以一个确定的承认；确认“婚姻不备此条件者（祖父母、父母主婚），当然在撤销之例”。照现在看来，剥夺子女的权利，违反现代婚姻自由的原则，可说已臻极点。有人说这种父母主权的婚姻，好像是父母主使的强奸。由父母之命，和一个不认识的人，发生性的关系，在当事人的行为是实施奸淫；而父母站在主使的地位，无异是教唆犯罪！此种制度，当然太不合理，根本不能容其存在。所以《民法》第九七二条规定，婚约应由男女当事人自行订定。把父母的主婚权铲除了，使男女本身自己有选择配偶的权利，减少许多的不幸，倒不能不说是很痛快的一件事！

四个问题

现在我们进一步来研究研究，儿女自行订定婚约，

（一）要不要一定的仪式？

（二）是否还要家长的同意？

（三）有没有年龄的限制？

（四）家长代订了怎样办？

不要仪式

先说第一个问题。像以前，一定要有的：譬如什么婚帖、聘金、八字、六礼等，如若没有，便不合法。就是现在，也通行什么交换饰物，举行一次茶会等以为订婚的证信，好像无此即属无效似的。这种心理，普遍于一般民间，那么现在的《民法》有没有这种规定呢？一

句话，《民法》是没有这种规定的。换一个说法，订婚用不着一定的形式，只要双方都有订约的意思，双方的意思完全一致，而且不是出于任何一方面的强暴胁迫或诈骗欺蒙，一方既愿作他方的妻子，他方也愿意作一方的丈夫，大家出于自愿，什么婚书，什么八字，当然不必要了。这在法律上叫做“不要式行为”，即不须任何形式，只要订约的当事人，出于完全自然的意旨，便是最合法的了。

无须家长同意

第二个问题，订婚是否要得家长的同意？那么有许多人以为男女当事人年轻识浅，经验不足，自由订婚，危险堪虞，非有年长的父母参加同意，不仅男女本身会遭遇不幸，即社会善良秩序，也将同受影响。如有富于人生经验的父母，参加意见，掌操最后的同意权，便面面俱到了。这种论调，原来不无相当理由；但是，也只能限于年龄幼小的当事人才对。如果已经成年的，也一定要受此限制，那么所谓“自由”也者，真是微乎其微了。况且一成年，法律上什么都有自主权，而独于有关终身幸福的选择配偶的自由，却受限制，未免和整个法律的精神有背；所以现行《民法》规定，凡成年的当事人，有其完全的自主权不受一丝一毫的限制。未成年人则必须得到父母的同意，是很合理的。

未成年人例外

所谓未成年者，是未满二十岁的说法。即未满二十岁的当事人，如欲订定婚约，必须有法定代理人的同意（《民法》第九七四条）；否则法定代理人即有权否认，可以请求法院把当事人所订的婚约判决撤销。这个意思无非是保护年纪轻、世故不深的青年而已。同时因为未成年人在法律上本来是“限制行为能力人”，一切的行为，都受限制；如处分财产、订立契约等均须得法定代理人的允许，否则法律上不生效力。订婚是契约的一种，因之也要得法定代理人的同意。必如此，立法精神，方称一致。

订婚年龄

第三个问题，有没有年龄的限制？这个限制不是说上节那种说法的限制。就是到了什么年龄可以订婚；什么年龄不可以订婚的问题，譬如说十五六岁，或十三四岁，甚至十三四岁以下。有无订婚之权？

《民法》规定，男子不满十七岁的不得订定婚约(《民法》第九七三条)。这个年龄是完全无权订婚的年龄。因为这年龄的人，正是知识不足，能力欠缺的；如果给以自行订婚之权，则适足以误事，害其终身，立法的理由如此。不过奇怪的是这种限制，男女竟有分别。即男的是未满十七岁；女的却缩短两年，规定未满十五岁，不得订定婚约(《民法》同条)，无形中女子比男子便宜两年，先有权利可以和人订定婚的。这实在是违反男女平等的大原则的。依我的见解，这是立法上的疏忽。但也有人替它辩护，以为男女生理不同，成熟有早晚之别，所以应该分别规定，不能一律。骤听好像也有理由，其实订婚和男女的生理上的发展，根本没有关系。要说有生理上关系，结婚应区分早晚还有可说；若叫毫无生理上的关系的订婚一件事，也如此定为男子十七，女子十五，而不在男女知识能力上设想，若不是太疏忽，也只好说是太仔细了！所以我不赞成这条法律，把男女分别规定。我希望将来能够有一个修正才好。

父母代订的婚约

最后便是第四个问题，家长代订婚约的问题，《民法》上如何规定？这个可以分二种情形来说：第一种是已经由父母代订了的；第二种父母揽权要替子女代订的情形。这二种情形，法律上有何规定呢？

第二种情形，比较简单得多，而且前面已讲过，子女订定婚约（未成年的在外），父母无权干涉，而且连同意都不必征求，现在且不说它。至于第一种情形，已经由父母代订了的，除子女本人愿意，不生问题外，如果本人不能赞同，那么依照法律上应如何办理才属合法？换句话说，法律上对于子女，有没有赋予某种权利，子女可以据以进行。

拒绝履行 《民法》上对于这种情形，并没有直接的规定，不过第九七五条有这么“婚约不能请求强迫履行”的明文。这意思当然不单指父母代订的婚约如此，一般的婚约都不得请求强迫履行，因此，父母代订的婚约，男女双方，任何一方有不愿意的，便可以根据这一条拒绝履行，而是非常合法的。但是这一条究竟是指一般婚约而言，父母代订的婚约，虽然可以援引作为解决的办法，实际上仅仅拒绝或任何人不得强迫履行，问题依然未曾根本解决。所以最高法院的判例和司法院的解释，都有明白的指示，便切实得多。

诉请解除　最高法院二十一年上字第十一号判决例："父母为未成年子女所定之婚约，苟其子女成年后有一方不同意时，许其诉请解约。"简单明了的一句话，如不同意可以把婚约解除，不受拘束。予子女以事后补救的办法，免致终身抱憾。这是根据婚姻自由的大原则所应有的判决，在反对父母代订婚约的人们，便有了一个方便之门，可以堂而皇之的走了。

根本无效　其实，依照这个判例，还是多余的。当然，这个判例在新《民法》施行未久，适应当时环境，是未可厚非，而且把几千年来的惯例，给以根本的改革，也是很可歌颂的一件事。但是我们细细研究起来，《民法》对于婚姻是采取契约自由的原则，第九七二条又明定"婚约应由男女当事人自行订定"，把任何人的参与干涉，一扫而廓清之，自由自在给当事人以最大的权限，而对于不同意父母代订的婚约，却要诉请解除，不啻承认父母有代订之权，只能请法院判决解除，与根本原则已经发生冲突，立法精神也成矛盾了。所以为贯彻当事人的全权，如父母代订婚约，本人并不同意，这婚约应该根本无效，不应该还有解除不解除的问题才对。这在二十三年司法院院字第一一七四号的解释例，便有如下的解释了：

> 未成年之子女，不同意于父母代订之婚约，其婚约当然无效，不生解除问题。

所以凡有不同意于父母代订婚约的，——当然必须自始不同意——用不到去解除，更用不到诉请法院判决；在道德上只须向对方声明不同意而外，本人当然不负丝毫责任的。

婚约的解除

婚约能解除吗

上次讲到订结婚约的种种情形，我们大概已经可以明白怎样订婚才合法，怎样是不合法的。今天我要讲的是订了婚约以后，是否可以解除？如可以解除，则怎样才可以解除？怎样是不能解除的？但读者应注意的，这里所说的“解除”并不是说父母代订的婚约，因为父母代订的婚约在法律上是根本无效，不发生解除问题的；因此这里所说的“解除”，是指本人自行订定的婚约而言。

我们晓得婚约是何等重要的事，它关系人的终身幸福，假使一有不慎，一生一世的快乐，一生一世的事业，都将付之东流。至于订了婚约之后，也不应随随便便，为了偶然的不满意，或者很小的事故，便贸然要解除，把订婚解约等事，视同儿戏。但是请不要误会我的意思，以为我反对解除婚约。反之，我却是一个主张婚姻绝对自由的人，岂有反对婚约之理，所以诸位要明白，我是说不应该随随便便解除，而是应该出之慎重的意思。

可以解除

总之，照理论讲，婚约是一种契约，依契约自由的原则而言，别的契约可以解除，婚姻的契约，当然也无不能解除的理由。照我个人的见解，也以为当事人间，订约之后，假使发现了不能永久结合的因素，或者感情上有了裂痕，若将来勉强成婚，决非终身之福。与其将来发生不好的结果，不如事先解决的好。况且我上次也说过，依《民法》规定，婚约是不能强迫履行的。如果当事人的一方不愿履行，他方又不能强迫其履行，则婚约有等于无，当然以解除为有益。不过我们知道，中国一般习俗，自以前一直到现在，订婚约的总有许许多多的手续；而旧道德观念，依然还根深蒂固的深印在一般人的脑筋里面，解除婚约，为一般人所认为有背善良风俗的。尤其在封建社会的旧家庭里的妇女，甚至以解除婚约是最不名誉最丢脸的事。有的竟情愿把自己一生的幸福，牺牲在她的观念中的“名誉”上，而过着不圆满的生活，却不愿把婚约解除。甚至为了解除的问题，而自杀的也比比皆是。虽然现在的情形，已经好得多；然而内地恐怕还多着这种情形。这原本是中国的整个教育问题，不是法律的问题。但是我们不得不明白中国的社会情形，是如此复杂矛盾，所以法律上的改革，有时不能不顾全落后的中国社会，迁就一些实际的情形。讲到彻底不彻底，法律本来是社会经济的产物，经济关系没有彻底改革以前，显然难以求法律上的彻底，这是毋庸多说的。所以法律上的解除婚约，在放任主义、自由主义下加以一点限制，也不无相当理由和好处。如此也可免却社会因法律上的改革，而引起骚动纷扰，给人民以苦痛，也是可以说得过去的。因此《民法》对于婚约的解除，承认当事人双方自愿解除，绝对不加以干涉外，规定两愿之外，都予以限制。所谓限制者，就是有任何一方不愿意解除的，那么一定要有法定的原因，然后才得解除，否则则不许。如此也不致使人民今天订了婚，明天因为很小的事件，便要求解除了。

六指头的笑话

有许多人，以为现在法律上规定解除婚约是非常自由的。所以为了一些些小事，也大闹其解约。记得有位朋友因为他发现了他未婚妻和一个他所不认得的男性在一起谈话，即要和未婚妻解除婚约，要求我写信替他办理，如对方不允，则不惜向法院起诉请求解除，这是一件事。其次，还有一位小姐，在与她的男友订了婚约之后，发现她的未来的丈夫，一个手生有六个指头，她认为“有碍观瞻”，因此也要和他解约，这又是一件事。这一男一女，都以为解约是绝对自由，漫无条件，所以一有不合，即要实行“法律上的权利（？）”他们自以为这种要求是合法的，其实他们不明法律，误会太甚了。

解约的法定原因

民法规定解除婚约，必须要有法定的原因，不是不问原因随便可以解除的。当然，立法的原意，无非要人们尊重婚约，不要视作儿戏，而且兼顾中国旧的社会观念。这样既不致使解约的无所保障，喜欢解约的，不致因一些“六指头”的理由随便闹笑话了。

那么，法定的原因是什么？共有几种呢？我们的回答，法定原因规划得并不十分狭隘，各方面都有一些顾到，一共有九种原因。凡有合于九种原因中任何一种的，都可以解除。换句话说，不具有这九种原因中的任何一种的，法律便不许解除。现在逐一说明如下。

另订婚约

第一，婚约订定后，再与他人订定婚约，或结婚者。现在世界各国除了极少数的野蛮民族以外，在婚姻上都是采取一夫一妻的制度。中国呢，事实上虽然很多实行一夫多妻，但是法律上是认定一夫一妻，所以在《刑法》上明定“有配偶而重为婚姻或同时与二人以上结婚者，处五年以下有期徒刑”（《刑法》第二三七条）。不论男女，不能一妻多夫，也不能一夫多妻。依此立法原则而论，已经订定婚约之后，如果再与他人另订婚约，或结婚者，虽然先订的婚约不能强迫履行，但这种行为，却是违背一夫一妻的大原则的，当然法所不许。况且重与他人发生婚姻关系，不但表示和先订的恩断义绝，不能保持而且不啻把契约破坏了。不能保持契约的条件（一夫一妻），男女任何一方，便得把已订的婚约解除，毫无问题。不过这里应该注意的，就是所谓婚约订定后的，再与他人订婚约这二个“婚约”，是指“当事人自行订定”或自己所同意的父母代订的“婚约”；而不是父母代为订定，自己并不同意的“婚约”，因为父母擅行代订的婚约，我上次已经说过，是根本无效的，当然不能以此作为解除的原因。说得明白一些，就是父母代订了婚约，自己并不同意，而重与他人订定婚约；后订婚者不能据此以为解约的原因。又如自己订定了婚约，父母又代自己去另订婚约，那么自己订定的对方，若据此要求解除，也不是法律所许的。

不肯结婚

第二，故违结婚期约者。订结婚约，最大的目的是什么呢？那么随便那一个人都可回答是结婚。所以法律上订明，订有婚约者，如双方已经约定了结婚日子，若毫无缘故，至期并不履行，故意违反，男的不娶，女的不嫁，那么，就构成了解除婚约的法定原因了。换一句话来说，在此情形之下，法律上允许男女任何一方，解除婚约。因为婚约重在实行，如果不实行，又何贵乎婚约。而且已经约定了结婚之期，到了时候，不娶不嫁，任它拖延，一年二年，甚至五年十年，则青春消逝，在男性或者尚无问题，而女性却不能长此守候。所以如果一方到了结婚日期而不履行结婚，他方可以解除婚约，却是非常合理。不过这里还要附带说明的，就是违反“结婚期约”的行为，一定要出于故意，始合法律的规定。所谓故意者，是完全没有正当的理由说法，其违背期约，是出于不愿结婚的意义。如因天灾人祸，不可抗力，因此到期不能结婚的，当然是例外。譬如像今年“一·二八”的事变，大家避难逃命，犹恐不及，或者参加战争，为国宣劳，那么假使有人已经定在那个时期结婚的，而事实上不能实行结婚的，他方是不能要求解除了。

上面所说的是法律上规定约了婚期不履行可以构成解约的原因；而对于订婚之后不约婚期，却不包括在内，也不特别提出，却不能作为可以解除婚约的原因。这一点，我以为实在是《民法》上又一个很大的缺点。因为故违婚期，可以订为法定原因者，大部分的意义无非防止拖延，保障对方的青春；殊不知不约婚期的为害，比约了婚期不履行的还厉害，法律上不顾到这一层，显然是很大的疏忽。虽然订婚后应该经过若干时日约定婚期，很难定出一个标准，但不能因为难定标准，便把有关男女终身幸福的事项，搁置一边不问！立法的不周，无所辞其咎了！

死活不知

第三，生死不明已满一年者。这一项，也是可以解除婚约的原因。订婚的任何一方，如果生死不明，杳无音息，则结婚的希望，便渺无时日，若要对方长期守候，当非人情所许，所以《民法》规定，作为解除婚约的原因之一。不过应该说明的，一定要生“死”不明，确有死亡的传疑。如果仅仅是音息不通，仅仅不明白对方情形怎样，而并没有死亡的传疑时，不构成解除原因。因为没有消息，不能便说生死不明。这二者显然有着区别。

没有消息，人总存在着；若生死不明，虽然不一定人不存在，至少已经有了死亡的成分，如人犹生存，而仅无消息，即许解除，在《民法》是认为不对的，所以一定要在没有音息之中，夹有死亡的传疑时才许解除。这当然非常谨慎。其实，如果照我上面所说，能够定一时期，如不结婚时，即得据以解约，这种曲曲折折的限制，便可一笔勾销。况且结婚一拖长，在悠长的时期中反而变化多端，容易发生解约的事故，不如订明了一个很短的时期，规定在此时期如不结婚，便可解约，则人们非从早结婚不可，不但可以减少许多解约的纠纷；解约的标准，也就非常明朗了。最后还要提明的：生死不明，一定要满足一年才有解约的权利，否则不得据以为理由。原来订婚的最后目的是结婚，订婚不过是一座通到“结婚”去的桥梁而已，所以法律的规定应该以结婚为主体，而以订婚作为手段来看，把订婚到结婚的时间，定出一个时期来，就非常合理了。

难医重病

第四，有重大不治之病者。所谓重大不治之病者，倒并不是指残废或花柳病等而言。但这种病症，却一定要是不容易治疗的，才合乎解除婚约的条件。那么不易治疗，有没有标准呢？有的。照民国四年大理院的判例，是要现世的医术，不易治疗。如果医术上可以治疗，能够把病症根本扫除，病症虽然重大，却就不许解约。这判例同时还有一点说明，很可玩味，它说：其疾病一定于生活上有碍，是平常人所厌恶的，才算重大；如疾病不碍生活，便“不在此例”了。大概这种病症，却是属于慢性病一类，因为如果是急性病，死也就在眼前了，还要解除什么婚约呢？

患花柳病

第五，有花柳病及其他恶疾者。这一项规定的理由，最要的是保持种族的健康。如果染有这种疾病的，让他互相结合，生男育女，则把疾病传染对方遗给后代，于种族健康、男女幸福都生影响，要非国家社会之福。而且生有花柳病的，多半系行为不检所致，个人的贞操也发生了问题，在贞操观念难以打破的现在中国社会，也不是当事的男女所能忍受的，自应使订婚的任何一方有权解除。

这里所谓花柳病，仅仅一个泛称，并未列举出来，不免使人有些迷惑。譬如梅毒之类，是一般人所公认的花柳病，当然不成问题外。如白浊之类，是不是归入这里所称的花柳病呢，好像就成了问题了。《民法》既没有详细说明——当然很难说明——判例解释，也没有可以作为参考的。以我的见解，依医学上的分类，来说那种是花柳病，那种不是花柳病，应该是最适当的。

至于恶疾，范围更不明了。怎样算是恶疾呢？这就很难具体的来说了。大概是人情上所厌恶，而又是不可医治的疾病，如羊癫疯、麻风等病，应该是所谓恶疾。的确，患了这种疾病，如不许订婚当事人解除婚约，不但不近人情，而且也足影响种族的健全。在国家立场上，或优生学的见地，应该定为解约原因之一的。

这里应该特别说明的，这一项所规定的，和上一项还有一个重要的不同。上一项规定有“不治”二字，而这一项没有这二字。这意思，就是上一项生了病如果可以医治的，不在许可解除之列；而这一项不然，就是只要生有此种病症，不问能否治愈，便得解约。

变成残废

第六，婚约订定后成为残废者。这是指订定婚约之后而成为残废的而言。假使订约前是残废的，那么是应该早已知道的事情。如果明知残废，而再订婚约，必然出于自愿，如此而欲解除婚约，实属出尔反尔，若许其解除，何异奖励矛盾的行为？所以一定要在订婚之后，而成为残废的，才许有解除之权。

怎样才算残废呢？不但人身的四肢五官，有所欠缺的是残废，即生殖机能不健全，或失其作用的，也在残废之列。譬如聋哑跛子果然是残废，即天阉石女，也属一律。民国八年大理院统字第一〇三一号的解释，说："聘定婚姻，尚未过门成亲，男子已届十六岁，躯干魁伟，茎物肾囊俱全，惟茎物须用手按之，惟露出寸许，自系残废，应照现行律办理，解除婚约。"这是说得更明白了。

不规矩

第七，婚约订定后与人通奸者。在法律上，"奸"字有二种解释：一种是《民法》上的，另一种是《刑法》上的。《刑法》上的“奸”，范围比较狭窄一些;《民法》上的“奸”，则宽广一点。所谓“奸”者，乃是不合法律的性交行为的另一种说法。所以《刑法》上的通奸解释，是专指男女异性间的性交行为而言，此外类似的、相像的所谓发生肉感，或满足性欲的行为，不论是同性的或者异性的，都不认为奸淫，而一概叫做猥亵行为，例如鸡奸，在《刑法》上是猥亵行为，而不是奸淫行为。但是在《民法》上却不同了，它的范围便没有如此严谨，比《刑法》上来得广泛；所以《刑法》上不认为奸淫的猥亵行为，也包括在内。大理院在民国六年曾经有过一个判决例（统字第六〇九号），说：“和同被人鸡奸，自民事方面言，亦系犯奸之一种，自可为解除婚约之原因。”这样，我们晓得与人通奸，不论是与异性实行性交行为为通奸；即与同性作满足性欲行为的，亦属犯奸的一种，可以据为解除婚约的原因的。

现在要问一问通奸为什么可以解除，其理由何在呢?

中国社会，除了一二大都市以外，大部分还停滞于封建社会的阶段，所以一般人们，对于封建社会的风俗习惯，还保持着密切的关系。其于性的观念也仍牢不可破持着旧贞操的见解。以为在合法婚姻所生的性关系以外，再有不合法的性交行为是违反道德，丧失人格的事。与没有道德，没有人格的营共同生活是不合理的，《民法》所以有这一项的规定，这当然是理由之一。

其次，与婚约以外的第三人，发生性关系，无异破坏了原有的婚约（因为是一夫一妻制）。如此则一方既已无情，将约毁废，他方自无遵守婚约的必要。许可解约，便觉很有理由了。

再次，我们还要研究的，是通奸的“通”，在《民法》上是有特别意义的。所谓“通”者，婚约一定是男女二方共通合意，不是一方强迫他方的。譬如一个女子与一个男人，或一个男人与一个女子发生了性的关系，并非出于任何一方的强迫，那就是“通”奸了。女的未婚夫，或男的未婚妻，都得作为解约的原因。这是法律上赋予他们的权利。假使一个女性给人家强奸了，并非出于女人的本意，她的未婚夫，说要和她解除婚约，法律便不许了。因为这不是“通”奸而是“强”奸，既非出于本人自愿，应该不负毁约的责任，对方无权提出解约。

还有，通奸是否一定要经过法院判决有罪之后，才可以作为解约的原因，或者只要一有通奸的事实的便可以呢？那么，这是只要有通奸的事实，便够了，不必要法院判了罪就可以解约的。

吃官司

第八，婚约订定后受徒刑之宣告者。徒刑就是犯了《刑法》的罪名，而受刑的判决的说法。因为一个人而犯了罪，此人的品行恶劣，可想而知，其名誉的破产，也当然的了。如与此等无品行无名誉的人，白首偕老，还有幸福可言吗？所以法律许受徒刑者的对方有解除婚约之权。这里面着重于刑之“宣告”，换句话说，就是经过法院判决有罪，不问执行与否的。譬如法院判决有罪——宣告其徒刑以后，如因大赦的关系，并不把他监禁起来，或者法院判决时，同时宣告缓刑而并不执行，虽者好像没有正式“吃官司”坐牢狱，但罪名已经确定，名誉破产，行为不正，更无疑问。对方可以把已订的婚约解除，自属应该。

其次要研究的，犯的是那一种罪，因为犯罪并不是一定都不名誉的，也不一定是行为恶劣；也有品行端正，动机纯洁的。譬如因一时激于义愤或出于自卫而致伤害他人，或者因爱国爱人类的关系，因政治上主张或思想上见解违背当时的法律而致罹罪，虽其行为应处以罪刑，而其道德高尚，行为方正，照理论讲即属宣告徒刑，亦无不名誉之可言，这在解释上应该不能作为解除婚约的原因，虽无判例解释可资遵循，但我以为我这种见解应该是对的！

重大事由

第九，有其他重大事由者。这一项范围很广。我们不免要问一问，为什么已经有了上面许多项数原因，而还要加上这么一项呢？要晓得上面八项虽然定得头头是道，周密得很，可是也许有包括不尽的地方。同时，根据婚姻自由的原则，如果单单限定上面几种，而没有这一项的规定，若有发生其他的重大事由，其性质比上面所举的还厉害，如不许人家解约，岂非违反情理，太呆板吗？所以有这么一项有伸缩性的规定，才可以免除当事人许多麻烦。其实，以上许许多多的原因，连本项在内，实在是多余的。因为婚约既经定为“不得请求强迫履行”，即使没有这种解约的原因，还不是大家都不能强迫履行，事实上等于解约吗？这许多不必要的原因，岂非多余吗？

这且置之不论。依本项所说的重大事由是什么呢？这当然要看事实如何来决定，不能随便乱说，不过照历来大理院判决例和解释例来看，譬如对于对方有强暴胁迫行为，或有诈欺妄冒行为等都是。现在举一例来说，如订婚的时候，对对方诈说自己有怎样高的地位，怎样多的财产，用莫须有的事情欺诱对方，来达到订婚的目的，而相对人也因为确信他有此地位，有此财产，才允许他的要求，并且认为非此不答应订婚的，如此而订结婚约，在订婚之后，方发觉与事实背谬，受了诈欺，这种情形可算是重大事由之一，可以据为解除婚约的原因。

又如冒为姊妹兄弟，而和人订婚，也在“其他重大事由”之列。婚约如系如此订定，法律即许解除。

总而言之，凡是足使订定的婚约，不能维持的事由，应该解释为“重大”的。

以上九项是可以解除的原因。如没有这种原因，是不许解约的。这是法律限制毫无原因的解约。因为婚姻虽然崇尚自由，然而在中国社会，习惯上还有种种顾忌，而封建的道德观念，还未打破，这种限制，只好说过渡时代无办法的办法。

解约的方式

其次，我们便要研究解除婚约的方式如何？法律上有怎样的规定？现在除开两愿解除不生问题外，如发现上举九项情形之一的，要求解除的一方，如何去解除呢？还是请求法院判决呢？还是一定要向对方交涉呢？照《民法》规定，只须向对方表示解除的意思已足，即可不受婚约的拘束（没有上举九项任何一项的原因的，当然不能如此）。如对方不同意时，对方会向法院告诉确认婚约有效；如果你确是有“原因”的，胜利当然不会在对方的。

赔偿损失

现在关于解除婚约的种种原因，大概说得差不多了。最后，应当说一说解除婚约的责任问题，就是有没有赔偿损失的问题。按解除婚约情形，大概不出下面四种：第一就是死亡；第二是两愿；第三是有前面所说的有“法定的原因”的；第四是毫无缘故，违反婚约的（如弃贫恋富等）。第一、第二两种，不生法律上赔偿问题，无需说它。所余三、四两种情形，则简单说起来，因法定的原因而解除的，有过失的一方，应负赔偿责任。《民法》第九七七条，明定：“依前条之规定（即九七六条所规定之九项原因）婚约解除时，无过失之一方，得向有过失之他方，请求赔偿因此所受的损害。”无法定原因，完全是违反婚约的，则赔偿责任属于违反的一方，悔婚的一方（《民法》第九七八条）。

精神上的抚慰金

接下来的问题，就是赔偿对方的损失，专属财产上物质的损害呢？或者非财产上的无形的精神的损害，如名誉健康等，是不是也要赔偿吗？是的，这要分别来讲的。就是如果无法定的原因，毫无缘故，违反婚约，那么虽非财产上之损害，亦得要求赔偿（《民法》第九七九条）。即所谓抚慰金，或慰藉金之类以补偿精神上的创伤。当然，财产上的损害，也应由违约的一方同时负担，毫无疑义。如因有法定原因而解约的呢，只能要求赔偿财产上的损害，而不能要求非财产上的损害。至于赔偿的数额，法律上并无一定的标准，仅仅规定“相当”二字，这要看赔偿者的资力家境，也要看相对人的身家地位而定，不能一概而论。从数十元，数百元，以至数千元，数万元，都无不可。

结　婚

不仅是男女的关系

我在前面曾经说过婚姻是人生三大事件之一。一个人可以由此享受美满快乐的生活，也可以由此沦入悲苦的深渊，把一生的幸福，牺牲尽净。所以结婚一个问题，在法律上尤其不能不郑重厘定。在一般说起来，结婚仅仅是一男一女的关系，范围非常狭隘。殊不知其结果却与民族国家关切深密。譬如男女结婚的早晚，足以影响种族的健全；结婚手续的繁简，尤能使国民生计受其波动。所以在立法上非有严密的规定不可，不能马马虎虎！

初婚和再婚

结婚是男女双方以永久共同生活为目的的行为。以学理来说可有几种分类。

（一）初婚是男女第一次结婚，以前从无合法的婚姻关系。再婚则是一次结婚之后，再行结婚的，如:（甲）男女正式结婚之后，双方离婚而再婚的；（乙）男女一方死亡，婚姻关系消灭后而重行结婚的；（丙）因法律上有撤销的原因，经法院判决撤销婚姻而再婚的；都称之谓再婚。我国《民法》对于初婚设有种种规定，以下将陆续说明。至于再婚，外国法律，很有限制，像旧俄的《民法》且不许有三次以上的结婚，禁止第四次的再婚。但我们的《民法》，则并无禁止规定；因为再婚，其前婚姻关系已经消灭，如再另行结婚，应无发生纠纷的可能，因之没有加以限制的必要。

单婚和重婚

（二）单婚，是一夫一妻的婚姻。重婚，是婚姻当事人的任何一方，在原婚姻关系之外，另结婚姻关系的一种婚姻。说简单一点，就是《刑法》上所说的“有配偶而重为婚姻，或同时与二人以上结婚”的，即是重婚。在各国法律，对于再婚多半不加禁止，而重婚不但“悬为厉禁”，而且在《刑法》上定有罪责。这无非贯彻一夫一妻的制度罢了。我国的法律，也是如此。

正常婚和变态婚

（三）正常的婚姻，总是女子入于男家，所以这种婚姻是正常婚。至于变态婚，则在中国有种种不同的形态。如男子入赘女家，俗语所谓招女婿的婚姻便是。如领养幼年女子以待长成之后作为男子妻室的，俗语所谓童养媳的婚姻，又是一种。如订有婚约的女子，在没有结婚之前，未婚夫死亡，仍入男家，过门守节，依然发生婚姻关系，俗所谓“房门寡”的婚姻，又是另一种的形态。这种种婚姻都不是正常的婚姻，而是变态的婚姻。欧美各国法律，因为个人主义发达，而且道德观念，经济环境也都不同，并没有关于这种婚姻的规定。至若我国民间，过门守志的风尚，现在虽也在逐渐消灭之中；但是因为经济落后，童养媳的习惯，还依旧盛行于乡村农民中；同时宗法嗣续的观念，犹未完全泯除，招女婿也流行于各级社会。因之我国的《民法》，对于过门守贞的变态婚虽然已经否认其有法律的地位，而仍然承认充满宗法意义的赘婚为合法的姻婚，不能彻底的消灭宗法观念，不无遗憾！

顺缘婚和逆缘婚

（四）女方结婚后死亡，男子复与其姊或妹结婚，这是顺缘婚。男方死亡后，女子再作其兄或弟之妻子的，是逆缘婚。这两种婚姻，在中国习惯上是很多的。譬如古代诸侯“一娶九女，不再娶”，嫁女的都有以侄娣随往以作妾媵，即有顺缘婚的意义。而姊死娶妹，妹死娶姊，更属通行，历来律例，也不禁止。现在《民法》也是如此。至于逆缘婚，则民间虽有兄亡收嫂，弟亡收弟妇的习惯，但前清法律，完全不许，如有违背，且有“绞”罪（《现行律 · 娶亲属妻妾条律》）。现在《民法》

则并无规定。兄弟之妇，属于旁系姻亲，而且辈分相同，不在禁止之列。

尚有一夫多妻婚，一妻多夫婚，和一夫一妻婚，这是很明白的。又如所谓内婚与外婚，乱婚与定婚等等现在也从略不讲。且来谈谈几个重要的问题。

结婚的年龄

第一，结婚的年龄问题。这就是什么年龄可以结婚，什么年龄不得结婚的问题。这个问题，学术上争论最多，又因各国人民身体发育的不同，气候地域的差异，法律上的规定也大有分别。总之，男女以何种年龄最适宜于结婚，是与一个国家及其种族的健全，大有关系。因为结婚过早，弊害甚多。譬如（甲）男女身体发育未臻健全，即遭戕伐，危害自身的健康；（乙）因为自身的体魄的不健全，所生子女，智慧体格难得优秀，足以使种族趋于低劣；（丙）本身年龄不足，知识经验缺乏，婚姻生活的乐趣，既未能领会；对于所生子女，又无充足的能力，以尽保护教养之责。所以从优生学等见地，和社会利益出发，结婚年龄不能太低。但是限制过分，定得很高，非到某一年龄不许结婚，那么青年到了成熟时期，生理上即有自然的要求，克制既属有害身体，自然只有趋于私通的一途，社会上的私生子必然会大批增加，当然不是社会之福；而且对于种族健康，也未必能够保全。所以各国法律，对于成婚年龄，虽然参差不齐，有的高至二十一岁，有的低至十四岁，然而大都以男女身体发育的程度为标准而定其早晚。而于男女，也分别高低。因为女性生理上的成熟，比男子为早，衰老也然。所以除奥大利一律为十四岁，苏联和智利一律为十八岁以外，其余各国大都男子的年龄高于女子二三岁。中国《民法》第九八〇条也明定："男未满十八岁，女未满十六岁者，不得结婚。"也不外此理。所谓满十八岁，满十六岁者，应该依十足年龄计算，而不是中国老法计算年龄的算法，那是毋庸再加说明的了。

重事实还是重形式

第二，结婚的形式问题，就是结婚要不要一定方式的问题。像从前罗马法时代，婚姻必须一定的仪式：如贵族以神官二人与证人十人到场，在神的面前，献牲立誓；如平民则须证人五人到场，而另外有持衡者在旁。像我国周礼有所谓纳采，问名，请期，亲迎等必须的礼节。清代也沿袭不改，这种礼仪，直到现在还依然通行于民间，有着很大的潜势力，习惯上以为如不具备这种仪式的，不能认为正式的婚姻。但按其实际，这种种仪式，繁文缛节，徒然劳神伤财，对于人民毫无实益，照理应该彻底废除。世界各国，不拘形式，只认事实上的婚姻的，也不乏其例。所谓事实上婚姻者，即男女同居，事实上成为同时又可公认为其夫妇的，不必经过什么形式上的仪式，即有法律上婚姻的效力。像美国 South California 州即采此纯粹的事实婚姻制度。苏联于必须履行登记的一种形式外，亦兼采事实婚姻制度。即如有共同生活的事实，像男女双方有经济互助，或对于子女的共同扶养等行为，以及在私人信函内对于第三人自称夫妻等情事，即可认为正式的婚姻，即登记的手续也不是必要的。这当然是最简单没有的了。我国习惯上对于婚姻仪式，极端重视，在女性方面尤其认为重要。一般无知识的妇女，都以“坐花轿”、“拜天地”为“明媒正娶”的必要手续；而都市女子，也大都以为若不经过“文明结婚”便不能称作夫人、太太的。在学理上讲来，形式婚和事实婚各有优点，亦各有缺点。我们且撇开不管，单就大众的立场上说，婚姻固然应该郑重其事，但是应该郑重其实质，而不必在形式上大做文章：所以能够愈简单愈好。如采取事实婚制度，自属非常合理；即使必须有形式上的手续，也不必一定要什么仪式，只须最简单的实行婚姻登记，也就足以证明婚姻成立时期，确定当事人的身份关系，不致漫无准绳，而滋生纠纷。可是中国《民法》还狃于旧习，所以对于结婚要不要一定的方式的问题，却定出这样一条法文：“结婚应有公开之仪式，及二人以上之证人。”（《民法》九八二条）

结婚要有公开的仪式

在立法的原意，觉得这种结婚的方式已经是最低限度，简单至于无可简单。因为它仅仅说是“公开的仪式”并不一定要这样那样，无论是依新法或依旧俗，只须是公开的已足。所谓公开，也只须“为一般不特定之人所共见”，就是使得结婚的事实让多数人周知，也就够了；本毋须乎繁文缛节，大吹大擂。这种意思本也不能酷刻的说它怎样不对；但不知中国婚姻仪节，数千年一向是繁重复杂，现在积重难返，《民法》规定必要仪式，虽甚简单而民间奉行，只有日趋繁重，却不能简单，这种事实当非立法本意所见及吧！

连带要说明的，如不备九八二条所定的公开的仪式，和二人以上的证人的，这种婚姻，《民法》认为根本无效，没有法律上的夫妻关系。其所生的子女，也只能作为非婚生子女，非经其生父认领的不能认为婚生子女。男子死亡后，其遗产也不及于其同居之妇。

近亲不许结婚

第三，亲属结婚的问题。这是结婚问题中最复杂的一点。究竟亲属应该禁止，或不应该禁止，以及怎样的亲属可以结婚，怎样的亲属不可结婚，问题复杂异常，而且学理上的主张亦各有不同。有的基于生理上的观点，从优生学出发，以为血亲通婚，容易遗传劣点于子嗣，影响于种族的优秀。而有的以为血缘结婚的结果，对于子嗣并不一定遗传劣点；而要视当事人胚质中是优是劣以为断定。如胚质优良，则虽近亲结婚，不但无碍，而且使子嗣也成为聪明才智之士，不但无禁止必要，且当予以奖励。二种说法，完全不同，究竟那一种对，那一种不对，还有待于医学上的发明和研究，一时难下肯定的断语。不过多数国家，和中国历来律例，对于近亲结婚，无不禁止。因为不仅是生理上的关系将把影响传给后代的子孙，而且也有伦理上的关系。如果一无限制，那么乱伦杂婚，必将层出不穷。人类高尚的德性，将完全趋于毁灭。这样的结果，社会将成怎么样的社会，当然不是我们所希望的了。基于这种种理由，亲属禁婚的规定，成为世界各国立法上一致的原则了。不过如何样的亲属禁止，如何样的亲属可以结婚，那么各国法律，很不一致，有的范围特别宽泛，有的非常狭小，各各不同。惟直系血亲的禁止，则各国一律，并无二致。我国有同姓不婚之说，原先也是禁止直系血亲结婚之意，到后来人齿渐繁，血缘愈隔愈远，便失其真义。自从唐代直到清代，同姓不婚，已经改为同宗不婚；范围就缩小得多。至于现行《民法》，那么第九八三条规定：

> 与下列亲属不得结婚：
>
> 一，直系血亲，及直系姻亲；
>
> 二，旁系血亲，及旁系姻亲之辈分不相同；但旁系血亲在八亲等之外，旁系姻亲在五亲等之外者，不在此限；
>
> 三，旁系血亲之辈分相同而在八亲等以内者；但表兄弟姊妹不在此限。

现在分别详细说明于下。

直系血亲

直系血亲是指（甲）自己所生的血亲，如子女，孙子女，曾孙子女及以下之孙子女等；（乙）自己所从生的，如父母，祖父母，曾祖父母及曾祖父母以上的父母。这种有着直属的血统关系的亲属，都不得结婚。

直系姻亲

所谓姻亲，是由婚姻关系而生的亲属。包括“直系血亲的配偶，配偶的直系血亲，及配偶的直系血亲之配偶”。（甲）直系血亲之配偶：如父、祖父之妻（即母与祖母等），母、祖母之夫（即父、祖父等）；子孙之妻，即媳，孙媳等或夫（孙、曾孙等）。（乙）配偶之直系血亲：如妻的母、祖母等（即岳母、祖岳母），或夫的父、祖父（即翁、翁之父等）等。（丙）配偶的直系血亲的配偶：如妻之后母，妻前夫所生的子之妻，或女的夫等。以上都是直系姻亲，一概不准结婚。

旁系血亲

旁系血亲之辈分不相同者。旁系血亲，是指不是直系血亲而仍有血亲关系的亲属。如胞兄弟姊妹，堂兄弟姊妹，再从兄弟姊妹，以及族兄弟姊妹，以及姑母所生的表兄弟姊妹等都是旁系血亲。惟以上所举，全是辈分相同的，至于辈分不相同者，如伯叔、姑母、侄女、伯叔祖父、从侄、从侄女——等等都在禁止结婚之列，但在八亲等之外的，不在此列。所谓八亲等者，依《民法》规定的计算方法来计算，适正与我国旧时代所谓“五族”相等，就是五族以外，虽属同宗，也得结婚。

旁系姻亲

旁系姻亲之辈分不相同者旁系姻亲，是指（甲）旁系血亲的配偶，（乙）配偶的旁系血亲，及（丙）配偶的旁系血亲的配偶。有辈分相同不相同的分别。辈分相同的可以结婚，辈分不相同便不得结婚。但辈分不相同而在五亲等之外的，也可结婚。现在举例说明于下：（甲）旁系血亲的配偶。如自己和兄弟、堂兄弟之妻或姊妹、堂姊妹之夫辈分相同的可以结婚，不在禁止之列，若伯叔父、侄之妻，姑母、侄女之夫，辈分便不相同，那就不许结婚。（乙）配偶的旁系血亲。如妻的姊妹，夫的兄弟辈分相同，可以结婚；妻的父之姊妹，夫的父之兄弟（叔翁、伯翁）辈分不相同，不得结婚。（丙）配偶的旁系血亲的配偶。如妻的兄弟之妻，夫的姊妹之夫辈分相同，也得结婚；妻之伯叔父的妻，夫的姑母之夫等辈分不相同，则禁止结婚，以上所举，辈分不相同，不得结婚之例，都以五亲等以内的为限；如在五亲等以外，纵然辈分不相同，也不禁止。

表兄弟姊妹

旁系血亲之辈分相同者。这在第三点上，已经指出是兄弟姊妹，堂兄弟姊妹，表兄弟姊妹等，是辈分相同的旁系血亲，而且也说明辈分不相同者，不得结婚;《民法》这一款则规定纵系辈分相同，凡在八亲等之内的亦不得结婚。不过表兄弟姊妹，依法计算是在辈分相同的旁系血亲八亲等以内的，应该也在禁止之列。但《民法》则订明“不在此限”。其理由因为中国习惯对于表兄弟姊妹，素来通婚，旧律虽然禁止，而民间少有遵守的，所以《民法》迁就习惯，如此规定。对于旁系血亲结婚的禁止范围是否妥当，我们暂不说它。单就同样的堂兄弟姊妹和表兄弟姊妹而有禁止不禁止的分别，立法上恐终不免矛盾之讥!

养父母与养子女

关于《民法》上禁止结婚的亲属，以上所举，完全包括在内。这意思就是在以上所举禁止结婚的以外，其他亲属，如有结合，概不干涉。《民法》这样的规定可说够得严密，但尚有数点，还有疑问，不能不说是立法疏忽。譬如准亲属如养父母与养子女等之间，是否可以结婚，《民法》并无条文可循，就是一端。

结婚无效

再说如果违反了亲属禁止结婚的限制，而依旧结婚的，法律上发生怎样的结果？这在《民法》第九八八条第一项及其第二款规定是定为婚姻根本无效。那就是婚姻关系自始不成立；此后亦无追认补正的余地。其男女双方的身份，和未有婚姻以前一样，没有夫妇间的权利义务；其所生的子女，也不认为婚生子女。

另外二点

此外关于结婚尚有几个要件，必须遵守，就是：

（一）须男女任何一方都没有合法的婚姻关系，即不是重婚者。

（二）须不是相奸者。所谓相奸者，即男女任何一方因犯奸而经法院判决离婚之后，不得与相奸者结婚。

劣种禁婚

最后，我还想提出最新的一个立法趋势，便是劣种禁婚的问题。我们知道种族的偏见，本来遍及于全世界，尤其所谓白种人，他们以为只有白种人是优秀的种族，应该享受人类最高的待遇，其他有色种族，应该做他们的奴隶，由他们使役宰割。这原是帝国主义者借人种的优劣来作为侵略压迫弱小民族征服全世界的理论根据，故意地蒙上一层学术上的所谓“优生学”的外衣，武断分出优劣的差别而已。其实聪明才智，同是人本类所有的本能，白种人未必一定比有色人来的优秀，有色人也并不会比白种人劣到如何地步。所以在种族平等的观点说，这种种族的偏见非打破不可。尤其我们弱小民族对于这种乖谬的理论，应该予以无情的痛击。这里所说法律上的劣种禁婚问题，虽然也是从优生学出发，却不含种族的偏见，乃从生理上有无难治的病症以为禁止与否的标准，以保持种族的健康，限制恶病的传播，在社会的利益上设想，确有重大的意义，我们应该加以提倡。譬如精神病人，心神丧失人，花柳病人，传染病人，重症肺病人，酗酒人，及习惯犯人……等等，若任其结婚，将其症疾传染于后嗣，实在是社会的后患，应该予以限制。这在美国各州很多这样实行的；最近颁行的《挪威婚姻法》，也采这种禁止办法。我国《民法》虽然在《离婚》一章规定，凡有不治的恶疾，和有重大不治的精神病者都构成离婚原因，而对于有这种情形的却不规定禁止，不免有些本末倒置，实为一大缺点！

夫妻财产制

女子现在有财产权了

我国向来没有所谓夫妻财产制的。因为中国数千年以来，素以丈夫为主，妻子是丈夫的附属品，根本没有财产权的。从做小姐时代起，经过主妇的时代，到母亲的时代，始终是依赖着父母，丈夫，儿子，没有独立的享有财产的权利，在法律上，更无她们的地位。这原是社会重男轻女的传统习惯所造成畸形不合理的现象。但是妇女既属人类的一员，她们也分担着人类社会的延续，生存，发展的一部分任务，当然应该享有与男子一样的权利——不论是教育的，政治的，经济的，莫不如此。

自从国民政府成立以后，对于男女平等一点，确实有了不少的改进，尤其在法律上，首先赋予女子有继承财产权，跟着又规定了夫妻财产制，承认她有独立财产权，与男子——丈夫，立在同等的地位。

夫妻财产制

什么财产应归妻或夫？夫的债务，妻负什么责任？妻的妆奁，夫有无权利处分等等问题，在以前，以男子为本位，当然由男子单独办理，女子无由顾问；但男女既然平等，则在在都是问题，应有明确的规定，庶夫妻之间有所遵循，即夫妻以外的第三者——债权债务关系——也可依据办理。夫妻财产制在这情势之下，确有详细制定的必要。而现在个人主义的财产观念，愈益发达，新式夫妻，也一天多似一天，所以十九年中央政治会议，对于《民法·亲属编·婚姻》一节中特别规定夫妻财产的制度，以顺应社会的需要。如是则新式配偶，既可援用；旧式夫妻，也可得此保障。可是自从此项法律颁布以后，数千年的习惯积重难返，人民利用此项法律规定，以实行订立契约，或者依此办理的，事实上非常缺少。不要说少，恐怕是绝无仅有吧。其实也许这种在中国是从古以来所没有的，簇新的法律，不是一般社会所明悉，大部分人民对于新法律的认识太薄弱了的缘故，所以不知应用，以取得和保障自己的权利。

约有五种

在欧美各国，个人主义，非常发达，男女之间，虽属夫妇，其财产关系，也分别清楚，夫是夫，妻是妻，毫无混淆。法律上关于夫妻财产的规定，也因之非常严密，有的特别复杂，依各国特有的情形而别。大概说来，夫妻财产的制度，现在世界各国所通行的，不外五种。即：一，统一财产制；二，共用财产制；三，联合财产制；四，奁产制；五，分别财产制。其中规定大同小异，各就各国国内社会情况分别制定，互不相同。

法定和约定

以上五种财产制，在成文法上可以归纳为法定和约定两种制度。约定者，就是可以由夫妻自由约定，采用一种财产制，共同遵守，在合法的约定之后，夫妻间或与第三人的关系，都以此为准则。法定者，就是夫妻间自己并未约定采用那一种财产制或者虽约定而未经合法的手续，则其相互间，或与第三者间发生财产上债务债权关系时，那么就用法律所定为“法定”的一种。因为任何各国，为适应人民的多样的要求，每每规定很多种类，或者三种，或者四种，或者甚至五六种，任便人民自由采用；并不呆板地订定一种强迫人民遵行。由此各国都订定一种为“法定”财产制，而以其他各种，作为约定财产制，随人民自由采用。至于规定何种为法定，何种为约定，则以各国国情不同，风俗习惯也都相异，所以也各不相同。譬如法国，比国以共同财产制为法定；苏联，挪威等也如此；美国有几州也是如此。英国，土耳其等都用分别财产制为法定的财产制。德国，日本等都用联合财产制；瑞士也是如此，不过略有小异。我们中国，也分作法定，约定二种。法定的是和瑞士一样采用联合财产制，和德、日的联合财产制，小有不同。约定财产制，则规定三种，即共同财产制，统一财产制，分别财产制。那奁产制，中国的《民法》，并不采用它。

约定的二个要件

《民法》关于夫妻财产制，第一规定夫妻可以自由在约定财产制的共同财产，统一财产，及分别财产三种制度中，选择任何一种去约定。不论在结婚之后，或者未曾结婚以前，都可以自由拣选一种，作为夫妻财产制。约定以后，所有发生财产上权利义务关系，不论是夫妻的相互间及夫或妻和第三者之间，都非依照这选定的财产制来办理不可。但如并不采用任何约定财产制，那么在婚姻关系存续中所发生的财产关系，便以法定的“联合”财产制为标准了。至于法定和约定财产制的内容及其分别，等一等再讲。所谓“约定”，依《民法》规定，有二个必要的条件。第一，夫妻双方共同选择一种财产制作为约定，必须用书面为之。就是说要约定一种夫妻财产制，口头的言语，是不能生效，必须由夫妻双方用书面订定。第二，必须经过登记的手续，否则不能对抗第三者。所谓第三者是夫妻以外的第三人。夫妻约定了一种财产制，而且双方已经订立了书面契约，这是夫妻相互间，是已经有了法律的效力；但是单订立了书面契约，并不向官厅正式登记，夫妻相互间的法律效力，虽不丧失，而第三人却不能受此夫妻间私相授受的约定所拘束，所以法律规定不能对抗第三人。接续下来的问题，就是如何登记呢？《民法》有这么一项明文订定："前项登记，另以法律定之。"可见登记的法律，尚待另行规定，但是《民法·亲属编》，从二十年五月五日施行以来，已经好几年了，这专为夫妻财产制的登记法，不但不见颁布，并且不曾听见过说在拟订之中。许多人批评这种立法，虽然好像很周密似的，一定要登记，而且登记的法律，还须特别地"另行订定"；可是尽是这样说法，而事实上，却事过境迁，《民法》一施行，登记法便"化为乌有"了。有的人还说这种做法，非但矛盾，一方面规定非登记不可，他方面却不把登记的法律订立出来，试问叫人民怎样去遵守法律呢？岂不是法律本身还在自隳威信吗？这种话虽不无过甚一些，确也有其至理。但是我们还得明白，所谓登记，法律上尚有普通登记、特殊登记之分。《民法》说"前项登记，另以法律定之”，这是特殊的登记。在未有特殊登记的法律可以援用的时候，是可以进行普通的登记的。所以立法的疏忽，固然无可推托，惟人民登记，还不是没有方法。

约定后的变更

其次，便是约定了一种财产制以后，是不是可以变更废弃，是不是终其身必须遵守这一种财产制呢？《民法》规定是可以变更废弃的。因为这种约定，是一种契约，依契约自由的原则，应该许予自由订立，也应该许予自由变更废止。不过不论是变更或废弃，如不以书面为之，其变更废止的行为，便无法律上的效力。对抗第三人，非经履行登记，也不能发生效力。这是要特别注意的。

何必再要同意

此外，夫妻订立或变更或废止其约定财产制的契约时，不论夫或妻如尚未成年，不曾满足二十岁，还须得到其本人的法定代理人（如父母等）的同意。立法的原意，无非为未成年人知识经验不足，对于财产上的处置，应有经验丰富世故深厚的人予以指点，才无危险。其实《民法》虽规定未成年人所为之法律行为，须经法定代理人的同意，但该法十三条第三项明定“未成年人已结婚者，有行为能力”，早已未成年已结婚的人有完全的行为能力，所为的一切法律行为（包括种种处置财产的承认行为），无须经过法定代理人的同意，而单单对于订立夫妻财产制的契约，却予以限制。同样的未成年，同样的处置财产的行为，而对于这一点，却有独异的规定，立法的理由，实在太牵强，太矛盾了。若说单单限于结婚前订立这种契约的，必须经过法定代理人的同意，倒也理由充足，但是偏偏又不如此呢。

几种财产

中国的法定财产制，是采联合财产制的。

本来，关于夫妻间的财产，在法律上可以分作好几种，如婚姻关系存续中取得的财产，夫妻结婚前原有的财产，结婚时所有的财产，婚姻关系中无偿取得的财产，以及个人使用品及职业上必需物的特有财产等等。这种种财产，依法定财产制，如何规定，可以说明如下。

特有财产

特有财产可分四种：第一，是专供个人使用之物，譬如夫妇各人自己所穿衣服，或如妻所用的首饰之类，都是各别享用，不是共同需要的。第二，是职业上必需之物，譬如丈夫是一位木匠，那么他所有的斧头凿子，是属于他特有的财产；或如妻子是位织工，她所用的织机，及附属工具，都是她职业上必需之物，也应该是她特有，而非共同所有的财产。此种例子甚多，如妻子是音乐师，丈夫是工程师，那么她的乐器和他的绘图仪器等，都应属于他们个人的特有财产。第三，是他人赠与而说明为其特有财产者，则也各自保留其所有权为各人的特有财产。譬如自己父母或挚好朋友，或任何他人赠与物件或金钱，当赠与之时，赠与人声明系给与夫或妻个人的，则该项赠与之金钱或物件，即作为夫或妻个人的特有财产。以上三种特有财产，都指夫妻双方而言，夫如此，妻也如此，毫无分别。至于第四种，则专指妻的一方而言，夫不能援以为例，就是劳力所得的报酬，应归妻自己私有，作为妻的特有财产。譬如妻是织工，由她工作所获得的工资，这是妻所特有的。这一项，《民法》不无偏重女子方面一些。从善意的观点来说，立法的意思，也许以为女子从事职业殊不容易，为提倡并奖励女子就业起见，应予如此规定。但从纯粹的男女平等观念来说，女子就不应该独享此利；立法虽像尊重女子，可是还存在着轻视女子能力的成分，传统的重男轻女观念依然还未曾完全泯除。

以上四种特有财产，不论采用法定或约定财产制，都保留其私有权，各别有其处分使用收益之权。

联合财产制

法定财产制包括结婚时夫妻所有的财产，以及婚姻关系存续中夫妻所取得的财产。即是说这两项财产是夫妻双方“联合”所有，称为联合财产。若上面所说的四种特有财产，不在“联合”范围之内。至于妻在结婚时所有的财产,《民法》还特别规定作为妻的“原有财产”，虽然属于“联合财产”之内，但妻保留其所有权，夫只有使用收益之权，而没有处分之权。在婚姻关系存续中，妻如因继承或其他无偿取得的财产,《民法》也规定为妻之“原有财产”，夫的权限，也如上述。所谓继承或无偿取得之财产，如妻的父母死亡了，继承他们的遗产，或者任何人赠与金钱物品等都是。譬如说有人赠与妻一辆汽车，夫非得到妻的同意，便不能去处分这辆汽车，把汽车变换现金，或再赠给他人；但是夫却有使用收益之权，可以乘坐代步，或把汽车出租而收取其租金。

其次，这法定财产制的“联合财产”，其管理权属于丈夫。换句话说，夫对于“联合财产”有使用收益之权，也有处分之权（妻的原有财产，当然不在此例；但其孳息，却在其内）。不仅如此，这处分，收益，使用之权，是属于夫，而不是属于妻。当然，妻并不是没有这权利，但是主体是夫，妻只能于日常家务互为代理人的权限内去处分“联合财产”。其法律的责任还是由夫负之。

至于家庭生活费用，在这法定财产制下，当然也由夫担任，因为夫妻的联合财产已由夫去管理，使用，收益；而夫妻的所得，又要归入于联合财产，则家庭生活费用，妻已无可供给，而应由夫来负担。但是《民法》尚有特别规定，若是夫到了无支付能力的时候，那么妻应该就其全部财产，不管是原有财产，或特有财产来负担。夫到了无支付能力的时候，营共同生活的妻显然义无反顾，不能置身事外！

与第三者的关系

以上所说，大半都是法定财产制关于夫妻之间的规定；若夫妻以外的第三者的权利义务关系，在法定财产制下系属如何，也有一说的必要。

夫妻对于第三者在财产上的权义关系，权利方面如遗产继承，遗赠承受，或赠与接受等，则妻的一方，是作为妻的原有财产，已经说明外；夫的一方则应归为联合财产的一部分。至于义务方面，所负债务，及侵权行为所负之义务等都是，则系个人自己所负，而非为共同的事由而负的债务，仍由各人自己的财产来分别清偿，却不能以“联合财产”去抵充。说得更明白些，妻的私债由妻的财产去清偿；夫的私债，由夫自己的财产清偿，各自分别，不得混淆。若以夫的财产去清偿妻的债务，或以妻的财产去清偿夫的债务，则双方在联合财产关系消灭以后，可以互求赔偿，所谓“亲兄弟，明算账”的俗谚，要改做“亲夫妻，明算账”了。至于因为双方共同生活而负有的债务，由联合财产来偿付，是再无详细说明的必要了。

死亡及离婚后的财产

最后，夫死亡时，妻的“原有财产”，应该由妻取回。如有缺少短绌的时候，妻得以向夫之继承人请求补偿。至于妻死亡时，妻之“原有财产”，归属于妻之人继承，亦为当然的规定。

至于离婚的，则不管是两愿或是判决的，夫妻各自收回其固有的财产，——一切财产制都是如此。最高法院民国二十一年有一个判例说：“离婚之妇，无论由何原因，其妆奁既为专供个人使用之物，即属其特有财产应听携去。”正是这个说法的最好注解。

总之，法定财产制，夫妻各别保存原有财产的所有权，不过，在联合财产关系中，集中于夫的一方而由夫管理，对于妻带入的财产有使用收益之权而已。但一到关系消灭的时候，——死亡或离婚——夫妻即得各别取回其自己的财产。

约定财产制，《民法》分为三种，现在也简单地予以解说。

共同财产制

第一，共同财产制。就是夫妻的财产，除双方的“特有财产”以外，不论是现在所有的，将来所得的一切动产不动产，却包括在内；也不论精神上所得，或劳力上所得，一律不分，合并为双方共同公有。双方对于这“共同财产”，都失去其私人所有权。“共同财产”中，虽属于自己应有的部分，双方也不得自由处分。因为这是已经归于双方共同的财产，属于二人共同公有的了；个人的所有权，已经变成双方共同的所有权了。所以夫妻双方，无论那一方，有处分共同财产的时候，必须要得到对方的同意，不像法定的联合财产制，夫有自由处分之权；但管理权却也属于丈夫。

关于债务问题，除夫妻就其特有财产所负担者，由其特有财产去清偿外，其他债务并得就共同财产去清偿，双方不生补偿请求权。即以共同财产去清偿妻或夫的个人的债务，对方不得向其请求偿还；也因为共同财产，属于双方，一而二，二而一，没有分别。

至于夫妻任何一方死亡时，则共同财产应即平分为二，一半属于死亡者的继承人，其他一半，归于生存的一方。假定共同财产的价额为一万元，死者是夫，那么这时候，妻在共同财产中应得一半，为五千元。她本来也是法定继承人之一，如他们尚生有孩子一人，则依照遗产分配的法则，二个继承人均分五千元，那么妻一人在遗产中又可继承二千五百元。这样夫死亡之后，她应该有财产七千五百元——除了特有财产以外。如离婚和别居等情，除继承一点，应不生问题外，也是各半分配。但是夫妻在约定采用共同财产制，订立书面契约的时候，订定财产分割，不依对半分开，而随意订定多少的法律也承认有效，不加干涉。则婚姻关系消灭时，即应依约定的分配方法来分配了。这也是契约自由运用的一种。

统一财产制

第二，统一财产制。即妻的财产，除特有财产外，其余不论多少，悉数将其所有权移转于夫，如采订这财产制的，妻应该将所有财产，估定一个价额，依此价额妻于将来婚姻关系消灭，或离婚，或另行订定他种财产契约的时候，可以要求如数取回。除这一点权利，妻在这统一财产制下，对于财产的管理权，使用权，收益权以至处分权，全部消失，完全归属夫个人，妻简直可以说是“置身事外”，不必顾问，因为行使权利，固然已经没有；而也不必再行负担义务。譬如家庭生活费用，和夫妻间的债务，也一股脑儿由夫去负担，与妻无涉。

分别财产制

第三，分别财产制，真是最简单的一种了。夫妻对于现在所有的财产，和婚姻关系存续期间中所得的财产，各自独立。夫妻间对于财产上绝不发生任何关系，你为你，我为我，各不相涉。除家庭生活费用，各人均有负担的义务以外，简直和未曾结婚以前的情形，毫无分别。这是个人主义极端的表现，现在如英国，土耳其，罗马尼亚，希腊，捷克等国家，都以这为法定财产制，而我们中国，则采为约定财产制的一种。

离　婚

离婚制造厂

离婚这一个问题，现在是很时髦的。不仅在我们中国是如此；在欧美各国，也是一件非常摩登的事情。在美国，尼伐大（Nevada）省的一个小城叫做里诺（Leno）的地方，竟成为全世界著名的“离婚制造厂”（Divorce Mill）。因为美国法律，并不承认双方合意的离婚；如要离婚，非经法院裁判不可；而经过法院裁判，一定须要种种理由和繁重的手续，而且许可与否，全由法院根据理由是否合法而决定，虽双方同意情愿离婚，因为理由欠缺，有时也有所不能。因此人民感到束缚太甚，痛苦难熬。并且欧洲有很多国家的法律，也保持着浓厚的保守色彩，守奉基督教义，认为离婚是罪恶，根本禁止；

或者设有种种限制，如必须经过若干年别居等等，人民要实行离婚，困难非常。但是里诺城对于离婚的裁判，却特别宽弛；对于法律的解释，特别适合于可以离婚。譬如一样说虐待，是构成离婚的条件，但是从严的解释，可以说一定要有重大的事情，使被虐待的一方受到精神上或肉体上重大的创伤；而从宽的解释，也可以说因为骂一声，打一下也是虐待。里诺城的法官便这样地巧妙玩弄法律，大开方便之门，以使这小城增加收入，满足他们拜金主义的欲求。所以凡向法院请求离婚，没有不准的。因之这地方成了美国和欧洲许多国家人民达到离婚目的的仙境了。凡是要离婚而不获的男男女女们，都“趋之若鹜”，到里诺来经过“制造”的程序，便一对对如愿以偿而去。这小城制造出来的离婚男女，其数目之多，真如一个制造厂造出一批一批的货品一样。“离婚制造厂”的名词，可说“名符其实”！里诺地方因此增加了许许多多的人士，本来清静的城市，便变成非常热闹，收入的加多，也是毫无疑义的了。

大减价大拍卖

说也笑话，也许读者不会相信。就是别的地方，看见里诺“生财有道”，进款暴增，不觉也眼红起来，居然相率仿效。甚而至于特别放宽，以广招揽的怪现象，也有发生。像墨西哥，为吸引美国的“主顾”，竟然大事宣传，说是到他们那儿去只须如何如何，手续是怎样简单，如只须写信去委托二个律师到法院经过一种手续，即可邀准等等，大事号召，只少挂出大减价大拍卖的旗帜。

说了这许多话，无非证明离婚一件事，是很时髦的。同时我们可以知道，法律的本质究竟是怎样，从这一点上，很明显可以看出来，它不过是一种工具而已。而且还可以看出资本主义国家里的法律，竟然还有可以“敛财”的妙用！

离　婚

各国对于离婚的法律，除禁止的不必说它外，许可离婚的，其规定也各有不同，大概分别起来，可以归纳为三种。即（一）协议离婚，（二）呈诉离婚，（三）自由离婚。

协议离婚就是男女双方同意，互相情愿，不问有无原因，或是那一种原因，只要双方出于自愿，不必经过法院便可离婚。呈诉离婚则一定要有法律所定的原因，并经过法院的判决，才可离婚。自由离婚，则男女任何一方的意思，认为婚姻关系难以维持或继续者，不问其基于何种原因，只要一方有此意思即得离婚。这是现在苏联立法上所采用的。当然是跟着其社会经济制度的改革而产生。因为他们那里每一个公民，都是社会生产的成员，经济既各自独立，男女谁也不必依赖谁来维持生活，社会决不会因离婚而增加纷扰，其人民自然可以享受这样自由的权利。这里暂不细说。

男子本位

至于我们中国的法律，关于离婚一事，在以前都是男性本位的。“七出”之条，尤其暴露无遗。所谓“七出”，读者大概都已知道是：（一）不顺父母；（二）无子；（三）淫；（四）妒；（五）恶疾；（六）多言；（七）窃盗。凡女人有此任何一项情形者，夫均得“出”之。甚至“多言”和“妒”也都为“出”的原因之一，男子权威的高涨，简直不把女子当作一个人看待，只有男子可出，而女子无法去“离”男子，这种极端的专权主义近世各国，已经没有采用的了。但是从前《民律草案》于离婚一节，也规定妻与人通奸者，夫得请求离婚。然而夫与人通奸者，妻却不能请求离婚。也十足表示男性本位，只有男子有权利叫女子保守贞操，女子便无权叫男子保守了。这当然也是重男轻女的风俗习惯的产物；现在时代变更，这种法律，当然不会适用的了。

协议离婚

《民法》于许可协议离婚外，并采判决离婚的规定。因为当事人双方如自愿离婚，意思一致，当然不必求其原因何在，可尽当事人的自由。但一方愿意，他方不愿意，则离婚的原因，已经存在，无可挽回，若不予解决，双方精神上的苦痛，当难忍受，徒然牺牲人生的幸福，妨碍生活的安乐；甚至因为夫妇的水火，而使无辜的子女，受到多方面的不良影响，其为害更大，不如给以机会，经由法院来判断应否离婚为愈了。

协议离婚，虽然很为自由，只须双方出于合意，并无强暴，胁迫诈欺等情事即可。但《民法》还规定必须以书面为之，并须有二人以上的签名证明，才算合法，以昭郑重。还有，双方任何一方，如未满二十岁的（实足年龄），应得法定代理人的同意。这一点，和上篇夫妻财产制里所说的“夫妻财产制契约之订立，变更，或废止，如当事人系未成年人，应得法定代理人同意”，在立法上有同样的矛盾，这里不再多说，读者可以参阅前文。

法定原因

但是判决离婚，情形便不如此简单，必须有法律，规定的原因，经过法院的判决。如没有这原因，或原因不和法律所订的相符合，便不准离婚。有很多的男女，因为不满意对方，而要求离婚，以为法律许可离婚，如协议不成，只要诉诸法律，即可胜利，不管原因如何，动辄以法律解决为要挟对方之工具。殊不知法律必须有一定的原因，不是要离就离，随便准许而应该郑重将事，非有一定的原因，不许任意脱离的。这在立法上也有其理由，以为夫妇的结合，原以永久共同生活为目的，不能以细故微节，即告仳离；其实男女双方一闹到了要离婚的地步，感情一定破裂，必无继续共同生活的可能，如果把他们因为不合法定原因，死板板地勉强合在一起，只会使他们的家庭不得安宁，子女的教养，受到影响，个人的精神，增加苦痛，而没有一丝一毫的好处的。反不如予以较大的自由，还可以免除种种人生的不幸。可是中国不是允许绝对自由离婚的国家，法定的原因，也限制很严呢。

只有十种

所谓法定的原因，共有十种，而且也仅仅只有十种，如在这十种以外另有其他原因，任凭是怎样有理由，也不准离婚。这和以前所讲解除婚约的原因，有一项富有伸缩性的“有其他重大事由者”之概括的规定，完全不同。其次，这十种原因，系指男女共通而言，并不是单属于男性或女性的。这是《民法》以男女平等为原则的一贯精神，不和从前专门压迫女子只有男性有此权利一样。

现在把十种法定的原因，一一分别说明于后。

重婚

第一种原因，是男女的一方是重婚者。因为《民法》采一夫一妻主义；而且重婚是违犯《刑法》的行为，所以不论男女任何一方，重与第三人再行结婚的，在《民法》上就作为离婚的一个原因。一个人有了配偶又与第三人结婚，对于配偶虽不能即谓已经恩断义绝，而对于永久共同生活的信念，至少是已经发生动摇，婚姻关系的前途，只是破裂消灭而已。其应该许对方请求离婚，无须为例外的规定，自属正常，且与《刑法》上重婚有罪的精神，互相一致。然而《民法》却另有规定，那就是说知道他方重婚已经过了六个月，或者从事情发生之后，已经过了二年的，便不得请求离婚。则重婚者尽可严守秘密，或用种种威迫利诱的方法，求拖过二年及六个月，这样一来非法的婚姻，变成合法的婚姻。这时候他方既不能请求离婚，而一个人同时却有了二个合法的婚姻关系。《民法》这种规定，无异承认了重婚，试问对于一夫一妻主义，何以贯彻？这不是露出立法不能统一的马脚，根本与《刑法》处刑的精神，完全相背吗？不但如此，一个人同时有了二个合法婚姻关系，则对于子女的关系，夫妻的财产关系，以及其他种种关系，如何来分别清楚，岂非缠结不清，生出无穷的纠纷？《民法》有此例外规定，实在是画蛇添足，不能不说是立法的疏忽。

“重婚”，许多人误会娶妾也是的。尤其许多女性们，以为丈夫娶了小老婆，是自己所不愿意的；认为他重婚，可以据为离婚的原因。其实，娶妾固然可以作为离婚合法的原因；但不能算是重婚。因重婚必须在法律上认为是合法的婚姻关系。所谓合法的婚姻关系，依《民法》规定必须婚姻的成立具备实质的及形式的各种要件（如当事人必须达到成婚年龄，相对人非一定之亲属，及举行公开之仪式等等），纳妾大都不具备最后的条件，当然不能视为婚姻。司法院民国二十年院字第六四七号解释说：娶妾并非婚姻，自无所谓重婚；如妻请求离婚，只须依其他理由，却不能指为重婚。就非常明了。至若娶妾而有公开的仪式，和结婚一样，则应认为重婚。

通奸

第二种原因，是与人通奸的。当然，这是指男女双方而言的。因为夫妻互负贞操的义务，如果和人通奸，便破坏了夫妇的相互义务，一方应该可以请求离婚。所谓奸者，是非夫妇间的性交行为。换句话说，是于夫妇之外与异性有作肉体接合行为的，例如纳妾，宿娼，姘居，性友等等都是。关于纳妾是否通奸，主张的人，很不一致。尤其因为中国许多年代来素有妾的制度，男子们明目张胆，大张晓喻认为正当。而旧式妇女，深中传统观念的遗毒，居然也默认这种行为，所以都以为并非通奸。这在新《刑法》修订的时候，立法当局争论尤为激烈。现在已有三妻四妾的人们，和以后可能有此多面性交权的新贵，当然主张认为不是通奸，而妇女运动的先进，和主张男女应该平等的学者，则一致认为是通奸。

但后一派合乎时代环境的主张，毕竟得到胜利，且司法院的解释例，纳妾即属与人通奸，得为请求离婚的原因（二十一年院字第七七〇号）。这种解释，对于纳妾男子，不啻予以当头棒喝。于许多年代来的纳妾制度，予以摧毁，不可不说是一件比较痛快的事。

尚有一点要说明的，这个通奸，不包括强奸在内的。如系被人强暴所胁迫，致有性的行为，则必非出于自愿，自属不能令其负责。故通奸一定要是和奸，才构成离婚的原因。

虐待

第三种可以请求离婚的原因，是受他方不堪同居之虐待者。所谓虐待者，意义非常模糊，究竟怎样才算虐待，在法律上没有一定的准则，只得由审判官去自由判断。但就以前大理院和现在最高法院的解释和判决来观察，则不论肉体精神受着痛苦或殴打的，都算是虐待。至若偶然的口角，和无关重要的詈骂，虽同有精神上的苦痛，概无作为虐待的可能。依历来最高的解释，如肉体上的损伤，必须到折伤以上；或者以殴打为惯常者，才许离婚。又如男子断绝女子的生活供给，或者强迫女子为娼，或当众宣称对方犯奸，以及典卖为人妻妾等等，都应该归入虐待之列，其程度已使一方不堪再行同居，这种情形都许离婚。其实虐待何必一定要分轻微和重大，只要一方确有虐待的事实，而不是偶然发生的，依常理来讲，早已毫无情义，何必一定要到了不堪忍受的程度，才许离婚，而强令他们在一起，使其长久忍受苦痛呢！

虐待尊亲

第四种原因，是妻对于夫的直系尊亲属虐待，或受其虐待，致不堪共同生活者。所谓直系尊亲属者，是指父母，祖父母等而言；夫之父母，就是妻的翁姑。妻子虐待翁姑，可以作为离婚原因；但是如系女人招赘为婿，婿虐待女子的直系尊亲属，是否也可以作为离婚的原因呢？《民法》并无明文规定，在解释上或者可以解为事同一律，而条文仅就妻一方来说，立法未免疏忽；且有背男女平等原则之嫌！不仅如此，这一项原因，根本有些毛病。因为婚姻是夫妻双方间二个人的关系，若因第三人或对第三人的虐待而牵涉到本身的婚姻生活，未免有些说不过去。中国道德观念虽然很重，对于父母和祖父母的尊敬，虽然可以说是一种美德，《民法》规定如对之虐待，应予离婚，若谓维持旧道德的好处，我们不妨姑且承认它，但是我们要问一问：如受了翁姑的虐待，而把这一笔账算到漠不相关的丈夫身上去，竟至于和他离婚，这还成什么话呢？若说可以请求和直系尊亲属分居，倒还合乎情理，然而《民法》见不及此！总之，这也是中国大家庭制度在作祟，如果中国的家庭制度，是小家庭的话，这种离婚原因，不是就可以根本消灭？又譬如一个国家如果能够进步到养老送死的事情，都可以由国家社会来负担的话，这一项原因，便应该变成“古物陈列所”里的宝贝了。

遗弃

第五种原因，是恶意遗弃在继续状态中者。所谓遗弃，情形很多，不可一概而论；要而言之，如拒绝同居，拒绝扶养等都是。拒绝同居，如常在外面，并不归家。拒绝扶养，如不顾对方生活，断绝应有供给等等。但所谓常在外面，如确有事故离家，不能称为遗弃。譬如像犯罪人因为怕吃官司逃避到别地方去，把对方抛弃，这虽然也是遗弃，但其实在的意思，却是为了避罪，其真正意思，并非遗弃。所以虽然是出于故意，却并非恶意。又如女人背弃丈夫，私自出走，却有一去不返的意思，这倒是恶意遗弃了。所谓断绝供给，如本来家贫，衣食有所不给；或者一时失业，储蓄毫无，无力赡养，都不足构成恶意遗弃。而且遗弃的事情，必须在继续状态之中。纵使有一度遗弃，如已经回复原状者，即不能据为请求离婚。

又按这一项原因，无非为夫妇互负同居之义务，如不履行这义务，则婚姻的目的，根只有在本无由达到，所以准予离婚。因此有一个问题，如一方拒绝对方性交，是否可以作为遗弃论？依婚姻的目的言，性的关系，应该是包括在内；灵肉一致为近代婚姻共同的趋向，如拒绝性交，即属违反了结婚的义务，应该解释为得以离婚的原因。

意图杀害

第六种呢，是意图杀害对方。夫妇原系以永久共同生活为目的，若说既不愿共同生活，而且一方还想去杀害他方，那么夫妇的情义恩爱，什么都没有了，自然应当许其离婚。所谓“意图”者，不问杀害已否成为事实，只要已有杀害的企谋，或者已在预备，或者已经着手，都可以成为对方请求离婚的原因。《民法》因为虐待和遗弃，尚且许其对方请求离婚，至若谋害对方，简直把对方视为仇敌，置之死地，自然更应该离婚了。至于意图的一方，应该受刑事上的责任，更不待言。

恶疾

第七是有不治的恶疾者。所谓恶疾，在前面婚约的解除一节中，曾经有过详细的说明，现在就说个大概罢。恶疾是指花柳病，慢性传染病，麻风病等而言。如果夫妻的一方，患有这种毛病，而其程度不是现代医术所能治疗的，是作为可以离婚的原因，因为任何一方，有了这种毛病，不但妨害了结婚的目的，且有害及对方及其后代子孙的健康，为了维持种族的健康和家庭的幸福，如有这种情形的，应该许其离婚。

至于不能人道，性机能缺乏的，是不是恶疾，殊无解释判例，可资援引。不过不能人道而不治的，《民法》第九九五条另有明文规定：“当事人之一方，于结婚时不能人道而不能治者，他方得向法院请求撤销之。”所谓“撤销”，其效力即等离婚；惟须注意者，不能人道，仅指结婚之当时；若因日后疾病衰老，以致性能减退不能人道者，当然不在其列。

精神病

第八，有重大不治的精神病者，可以请求离婚。这一项的理由，也和不治之恶疾一样。恐怕影响于子女，同时妨害婚姻目的；如有精神病者，自应断绝双方性交，以免遗传于子女，有碍种族的健康。有许多人以为所贵于夫妇者，无非危难相助，疾病相扶。倘夫妻的一方，有了精神病，他方就要离婚，似乎违背人道，夫妻之义，荡然无遗了。但是反过来说，一方既有了重大不能医治的精神病而一定要强迫对方继续婚姻关系，不许其离异，不但对方人生乐趣完全丧失，抑且违反优生的原理，那才是违反人道之举。法律仅仅许其离婚，并非强令当事人必须离婚；当事人自愿继续，法律并不加以干涉，说不上什么人道不人道。因为法律并不课以责任，不过当事人尽其道德的责任而已。

生死不明

第九个可以离婚的原因，是生死不明已经过三年者。所谓生死不明，一定是生死都不知道，或者人已失踪，毫无信息；如果尚可探知其所在，或者音息时断时续，那么离开家庭的时间虽久，也不能作为离婚的原因。但假如死活不明，已经有了三年，那么不但婚姻关系能否继续尚不可知，如尚活着则夫妇早已视为陌路；如已经死了，那么当然不能叫对方长期独守，所以只须经过三年，不管已死未死，皆可请求离婚。至于三年应从那时起算，那么照一般法律讲，以其人生死不明之日起。就是最后见其人，或最后音信发送之日起算。依《民法》第八条说：失踪人失踪满十年后，可以请求法院宣告死亡；宣告以后婚姻关系便消灭，即无所谓离婚不离婚了。但是这必须等待十年，时期太长，所以另外定为三年，使婚姻关系，得以早日决定。

犯罪

第十种原因，是被处三年以上的徒刑，或因犯不名誉罪被处徒刑的。因为一个人犯了罪，被判决执行徒刑的人，如系女子，则家庭里缺少管理的人，使家庭陷于不堪的境地；如系男子，更加发生不良的影响，依中国现在社会讲，女子本身都无生产能力，不克自立，男子入狱，势有冻饿之虞，很可能变为游民，因之而为非作恶，增加社会的不安。总之，夫妻任何一方被处了徒期，共同生活，即起变端，目的难达，自不能令对方长期守候，故准予离婚。至于说犯不名誉罪，许多人以为犯了罪，坐牢狱，吃官司，无论如何，总不是体面的事情，那里还有什么名誉不名誉。这种话，初听好像不无理由，但依法律学的解释，如偷、盗抢、劫、奸拐等，的确好算不名誉——其实这也是正统学派的法律学中的说法，而新观点的学者却以为偷盗抢劫，大半是迫于经济，社会组织不许他有出路，因此不得不铤而走险，不一定是天生贱骨，乐此为生的，所谓不名誉者，也未必是正确的，现在讲法律，姑就法律来这样说罢了。——但是像内乱罪，妨碍选举罪等，都不能算是不名誉罪；又如最近恽惠芳警告贩卖日货的奸商，虽然应否认为是犯罪行为，尚有商榷的余地；假定退一万步，埋没了良心认为犯罪，我们可以说这是犯的不名誉罪吗？——当然半殖民地的中国，才会判决有罪呢！说一句题外的话，判决这有罪的，才是“遗臭万年”，顶顶不名誉呢！——假定我们说是不名誉的，我相信读者没有一个不要提出反对的。所以我想犯罪的名誉不名誉，可说还是有的；不过传统的见解，是把偷盗奸杀等罪归入不名誉的，而把内乱等政治上的犯罪作为非不名誉的罢了。

因之，这一项原因的解释，前半段是不问犯的是不名誉罪或非不名誉罪，如属刑期有三年以上的，即已可以离婚。后半段不以刑期长短为标准，三年二年，一月二月都可不论；只须犯的是不名誉罪，亦即构成离婚的条件。其理由因为名誉是人生的第二生命，一方的名誉既已破产，如果再与其共同生活，在爱惜名誉的人，决计是难堪的事，所以以此理由到法院去请求离婚，一定可以胜诉的。

汉奸也不能离

现在法律上认为可以离婚的十种原因，一种种都讲完，其中有几种，立法理由，很为充分，但有几种简直毫无道理，我大略也都一一讲过，不再多赘。读者要知道：一个人如要离婚，非要有这十种理由中的一种不可，如没有任何一种的，纵使你的理由十分充足，你的痛苦万分重大，这死板板的法律，却不准你离婚！非要使你的痛苦，继续忍受下去不可！譬如男的是个专门贩卖劣货的奸商，女的是位不愿做亡国奴的，她并且劝告他绝止这种害国的卖买，而不能听从。他们之间，实在不能再继续共同生活，这种情形，不论从国家民族立场说，应该离之再离，即就个人精神上的痛苦言，也应使他们分离，可是这并不是法定离婚的原因，即使告到法院去，依据法律，是不能准许离婚的。他们除呻吟于这种矛盾、痛苦的渊海中，简直一无补救办法。

性情不合也不能离

又如双方性情不合，意见不同，依民法也不是离婚的法定原因，有此情形，也无离婚可能。但婚姻的目的，在于共同生活，这共同生活，不仅仅在肉体上生活，大部分还寄托于精神上的。没有精神上的爱，犹且难以相处，况性情相左，意见乖离，尚有何共同生活可言？而法律则不准其离异，强令合在一处。不仅有违婚姻灵肉一致的目的，抑且近于残酷！所以《民法》仅有这种列举原因，而没有概括的规定，不免遗害太多！

要求离婚自由

曾经有个故事，一位不长进的丈夫，在外面结交歹友，从事赌博，浪费金钱。首先把妻子的细软手饰一样样地变卖作他赌博的本钱；遂后又把家里的东西，妻子日常所穿的衣服，一件一件拿出去当了用，家里生活，发生恐慌，也置之不问。妻子暗地里把当剩用剩的自己的衣衫去藏在母家，被丈夫知道了，家庭闹得天翻地覆，亲戚朋友，都劝妻子跟丈夫离婚，她自己也不能再事忍受，几次和丈夫协议离婚，丈夫故意刁难，不肯同意；她又去请教律师，替她想法，结果因为这种情形，不合法定的原因，不能“告官”——民国五年大理院有一判决说“擅卖妻子之妆奁，非离婚原因”——她不得不把她一生的幸福给“法律”牺牲尽净！此外事理上，实际上的确应该离婚的而法律不许的还有许许多多，一辈老先生捋须长叹，以为世道不古，离婚容易，但是事实上真不容易呢！离婚号称自由，而实不自由！另外一般人又以为《民法》规定，确应如此严格，否则过分自由，便非常危险；夫妇之道，将要更加苦了。可是主张自由离婚的学者，却说并不危险。因为离婚真自由了，不但离婚不会加多，而且只会减少。这种说法，使人一定不会相信，可是事实上除了刚刚由不自由改为自由的时候，离婚难免会多一点以外，越到后来，越会减少。这是什么缘故呢？别人一定以为离婚自由了，结婚也自由，这样可以今天结婚，明天离婚，后天又结婚，不是将弄得一塌糊涂？但是这种情形，在男子方面也许可以如此做法，然而应该反过来想一想，婚姻不是男子单方面的事情，还有女子一方面，她们能否如此吃亏，随男子之便？她们不是也要为自己打打算盘，免吃男子之亏，在结婚之前，对于男子，要加以大大的审慎，必要有一个彻底的认识，才可以身相许。女子事先越是谨慎，事后越无毛病，离婚减少，是必然的道理了！

离婚后

究竟是麻烦的事

离婚是时髦的事，可是也是麻烦的事。精神上物质上所受的损伤，真是非常深的；而且连带发生的问题，也实在非常烦恼。所以能够不离婚，非到万不得已的时候不离婚，也不无好处。当然，事实非离不可的时候，应该爽爽快快的脱离，若硬生生地禁止离婚，或者用种种方法去限制离婚，虽然不失为一个办法，却一定叫人忍受不能忍受的痛苦和损失，也是人情道德上不能容恕的。而且禁止或限制离婚，只能禁止或限制人的离婚，而不能根本消灭离婚的原因，依然不是一个根本的办法。像美国各州的法律不许协议离婚，以致造成了像我前章里所说的什么“离婚制造厂”的现象来。要是能够根本加以治疗，倒还不如予以绝对的自由，使大家非先加审慎不可，到以后不致再发生非离不可的事情。上次我曾经把绝对自由离婚的理论，介绍给诸位，也许对于解决这一个问题，可以略有补助。然而，毋庸讳言的，离婚总究也是苦痛麻烦的事。譬如闹到非离不可的时候，那时候一对甜蜜蜜的夫妻，变成二个不能并立的仇敌，精神上的痛苦一定非常难过的。至于能不能离婚，也要花费许多精神时间，也足使人烦恼。若不能离婚，固是苦痛；即使可以离婚了，那么子女如何处置的问题，亲属关系的断续的问题，双方财产的分割的问题，还有赡养费，损害赔偿等等问题，真不是简单容易的事。下面把关于离婚后这种种问题，在《民法》上怎样规定，说一说。

子女由谁去教养

第一个问题，是子女如何监护，应归谁来教养的规定。依《民法》的规定，原则上归父亲监护。假使是协议离婚的，则双方可以商量订约，归任何那一个去监护。

如系判决离婚的，也可以因为特别的原因为子女的利益着想，由法院酌量指定。譬如子女年龄很小，或者正在哺乳时期，那么可以指定由母抚养。又如父有遗弃等情的发生，不宜由父抚育的，也以归母监护为好。在这种情形之下，不一定由父管领。总之，父亲有监护子女的权利和义务；但为子女的利益计，有时应由母来负担。

和子女断绝关系吗

第二个问题，离婚之后，亲属关系，是否消灭？先说与子女的关系，譬如说子女是归父监护的，那么母对于子女的关系，是否就此消灭了呢？他们间的关系，是否就断绝了呢？原来，父母子女，本于自然的血统，是血亲关系。父母虽离婚，于子女却不生影响，亲子关系，永远存在，非人力所能消灭。所以不但有合法婚姻关系的父母，离了婚，亲子关系仍旧存在，即没有法律上的婚姻关系，如妾、姘居等所生的子女，如已经由父认领的，若父母脱辐，他们亲子间的关系亦不断绝。上海最近有件很轰动的事，就是有一个富商，和他的外妇生了一个男孩，后来和她脱离了，经过若干年以后，她挂念着她的亲生儿子，要求和他见面往来，而富商则不愿他们俩见面往还，多方阻挠，甚至儿子结婚的事，也不给他母亲知道，秘密地在华懋饭店举行婚礼。孩子的母亲不甘心，向法院请求判决，结果到了最高法院，去年下半年有了判决，说是母虽与父脱离关系，而其所生的儿子究竟没有断绝生母的道理，故母子间的关系，依法仍旧存在的。这样做母亲的依然可以和儿子往来，亲子间法律上的权利义务也就继续存在。譬如母死了之后的遗产，做儿子的可以有权继承；如母亲生活陷于困难，儿子即有扶养的义务；如有遗弃行为，还得负刑事上的责任。这完全是根据于血统，是天然的关系，不能因人为的原因而消灭。

姻亲关系消灭了

其次是姻亲的关系，是否消灭？如岳父母，翁姑，妯娌姑嫂等关系，是否也仍继续？这个，离了婚后，其关系是消灭了。其理由因为姻亲的关系，完全由于配偶的一方面而发生，既然因为婚姻而发生，则婚姻消灭了，姻亲关系，当然也同时消灭。从前有件案子，男人死了，妻子重新嫁了人，这时候已经和夫家完全脱离关系了。到后来，女人又和再醮的男人离婚了，而且又去同她死去了的第一个丈夫的母亲居住一起。照常理，或依事实来说，也许她们之间，一个叫她婆婆，一个叫她媳妇，好像仍旧有其婆媳关系。可是依大理院的裁判说，然形式上或事实上还是婆媳，却不承认她们有姻亲的关系。她们二个住在一起，在法律上不过是二个毫无关系的人罢了。这就是离婚之后，姻亲关系是消灭了。

“姓”的问题

第三个问题，离婚之后女人或赘婿的姓，是否仍旧照样不变，或者一定要回复本姓呢？照《民法》本来有“妻以其本姓冠夫姓，赘夫以其本姓冠以妻姓”的规定；这都是由结婚而来的。那么离婚以后，依理自然应当回复本姓。欧洲如德国，瑞士等都有明文如此规定。中国《民法》对于这事，取放任主义，并无规定，可由双方自由办理。仍旧和未离婚以前一样固然可以；回复本姓，亦无不可；甚至另行选择一个姓，法律也不干涉禁止！

和别人结婚

第四个问题，就是离婚之后，是否立刻可以和别人结婚？这个问题，依《民法》规定，男子便利得多，女子不免麻烦一点。就是男子离了婚，立刻可以和任何第三者再行结婚（但因奸判决离婚的，相奸者不在此例）。而女子则不然，非经过半年——六个月——不得与人结婚。其实这倒并不是重男轻女，完全因为男女生理上不同，法律所以也有分别了。法律所以有此区分，完全为防止血统的混乱。譬如女子离婚之后，立刻和另一个男子结婚，那么在十个月或八九个月内，生出了小孩，这小孩算是前夫的呢，还是后夫的呢？不是要纠缠不清吗？因此一定要经过相当时期，才许结婚。经过了这时期，女子有没有孕，无论如何可以知道了，即使在离婚前最后一天才受孕的，一经过六个月的时期，大腹便便一望而知，即不待医学上的证明，也可完全明了，纵使和另外一人结婚，腹内的种子究竟是谁的也不成问题了。但是,《民法》规定的时期是六个月，是否太长，不无研究的余地。因为限制日子的长短，于女子再嫁的机会很有关系。以男女平等言，似有略为缩短的必要。不知将来修改的时候，能否注意及此呢？依法、德等国的立法，这个限制的时候，还比较久长，都非经过三百天不可，日本则改为六个月，因为有孕无孕，在人情上，在医学上，已可诊断确定，实无三百天的必要。日本立法改为六个月，真是一个进步，其实现代医术发达，有孕与否不待六个月即可诊断确定，所以六个月的时期，也非必要。我国《民法》照抄日本，不能更进一步，再就现代医术上所认可的最短的时期来规定，未免缺乏创造性！而使女子再嫁人的机会，受到阻碍，也于人情上说不过去！但《民法》另有一个规定值得一提的，就是六个月的限制，并非一概而论；假定六个月内已经生产了，这限制就撤销了。譬如离婚之后第一个月就生了，那么女子于生产之后，便可自由和别人结婚，可以不受六个月的限制。这个理由是很简单明了的，那就是一生了小孩，便不生什么混乱血统的问题。现在再把一个很有趣的事情，提出来讨论讨论。

“破镜重圆”

这有趣的问题，也许有人以为事实上不大会有的；可是天地之大，无奇不有，所以匪夷所思，什么奇奇怪怪料不到的事情，都会有的。这有趣的事情，说不定在事实上很多呢！所谓有趣的事情，就是离婚之后，又和离婚的人结婚，换句话说，就是原来的婚姻“破镜重圆”。有人以为这种出尔反尔，视同儿戏的事，不会有的；因为既然离了婚，何必重行结合；既要结合，又何必离婚呢。在理想上，离婚以后不会重新再结合的；但事实上不然，在从前夫权时代就有所谓“收覆水”的喜剧；在现代，也不少这种“悲欢离合”的生活。所以我们可以不必追求有无的问题，姑且认它是有这种事情的，那么法律上是不是准许，或者有什么限制吗？依外国的法例，对于于同一当事人之间，重行再婚的，有的是有限制的；但是我们的《民法》，却没有规定。一对夫妇离了婚之后，重新再婚，毫无问题，尽可自由，也不必等到六个月以后，因为与血统毫无关系，这是不必说的。

禁止和相奸者结婚

再次，我在上面曾说过男子可以和任何第三者自由结婚，不过如因通奸经过法院判决非因其他原因才离婚的，则不得与相奸者结婚，有此一个限制。其理由如不设此限制，则在通奸者求之不得，惟恐不离婚了。立法原意，无非是维持风化，遏止淫乱。其实这于事实上毫无补益，等于虚设。因为《民法》仅仅限制结婚，却不限制同居，事实上相奸者尽可以继续相奸，对于风化礼教，简直风马牛不相及。这也许是立法者当时所不能料到的！查各国法律对于所谓相奸者结婚一点，大都不加禁止，因为他们对于贞操观念及礼教思想，与中国有所不同。即使自己配偶和人通奸，那么离了婚什么都了了，谁管他和相奸者结婚与否，心中还存什么醋意呢？何况又不禁止同居，事实上还是纵容淫乱，这种限制不是多余的吗？十八年《民法》没有颁布施行之前司法院的解释，却是不加禁止，在院字一〇四号的解释，说："夫妻一造，因与人通奸离异后，无不得与相奸者结婚之限制。”想当时革命的空气，还很浓厚，司法当局痛恶礼教的观念，也很明显，所以有此大胆的解释。而现在《民法》，则完全不同了。是好是坏，当然各有主张。但有人以为《民法》很有许多改革的地方，如订婚离婚都有相当的自由，女子可以享受继承财产权，妾无法律上地位等等，都能表现新的革命的精神。这一点，却不能和这许多新的精神一贯，致失了法律上的和协和一致，留着一个显著的矛盾，很可惜的。这几句，纯粹在立法的精神上说话，确系独到之见；不过我还觉得《民法》上的矛盾和不一致，不仅仅是这一点，还有好多地方，需要彻底地清查一下呢！

财产分割

第五个问题，是双方的财产如何分割，《民法》规定：“夫妻离婚时，无论其原用何种财产制，各取回其固有财产。”查《民法》所定的夫妻财产制，共有四种：以妻的原有财产并合于夫的财产的，是联合财产制；以夫妻的财产及所得，合并为共同财产者，为共同财产制；以妻的财产除保留者外，估定价额，移转所有权于夫者，是统一财产制；夫妻的财产各别独立，不受婚姻影响的，是分别财产制。这四种财产制，除最后一种本来各别独立，不相混淆，于离婚时没有丝毫关系外，其余三种，如因离婚，当然也需要分割，庶夫妻财产，仍归各自所有，不致有所损失。《民法》规定可以各自取回其固有财产，回复各人所有的财产，则双方均无损害。所谓固有财产，和“原有财产”是不同的，所以夫妻如采用联合财产制的，那么各自取回其原有财产。如系用的共同财产制，那么取回其加入共同财产的财产。若系采取统一财产制的，那么妻取回其所估定的价额。

损害赔偿

最后一个问题，就是赡养费的问题。一般人以为这是离婚最大的问题，尤其是女性方面，因为缺少生产能力，中国社会，又少女子工作的机会。加以往昔“出嫁靠夫”的传统习惯，女子没有独立的经济，因之遇到离婚，赡养问题便成了她们最大的问题。

其实，离婚不仅发生赡养问题，而重要的还是损害赔偿问题。因为结婚，原以终身结合白首偕老为鹄的，但到了不得不离婚的时候，不但因结婚离婚财产上有着重大的损失；即一方造成离婚原因，他方无过遭到离婚的悲伤，精神上的痛苦，也需要一种抚慰；所以各国的法律，对于因判决离婚的，都定有损害赔偿的制度。中国《民法》也有这规定，即："夫妻之一方，因判决离婚而受有损害者，得向有过失之他方，请求赔偿。"同时也承认非财产上的，精神上的损害也得以请求赔偿。当然，请求的一方，必须是无过失的。所谓无过失者，就是离婚的原因，并非由己造成。譬如因奸离婚，则请求者并非通奸之人；如因恶疾而离婚，则自己并未生有恶疾等等。至于赔偿数额，虽由法院随便判定，但也有相当标准，就是必先就请求者的（一）身份,（二）年龄,（三）自营生计之能力，以及（四）生活程度等状况来度衡多少，然后再斟酌给付人的财力如何，有无给付请求者数额的能力，而给予一个适当的判断，这是历来最高法院的判决例所示的。

赡养费

至于赡养费问题，各国也都有规定，我国《民法》亦然。请求赡养费的给予，必要的条件是“因离婚而生活陷于困难”；则纵使对方毫无过失，也须负责。当然，请求者也须无过失的。这一点读者也许要发生误会，以为双方既然都无过失，如何可以判决离婚呢？这需要读者参阅前面《离婚》一章，读者也许会记得离婚的十种法定原因中，有着这么一项：“妻虐待夫之直系尊亲属，或受其虐待以致不堪共同生活的。”这是双方都无过失。所以无过失者，遇到对方因离婚而陷于生活困难者，须给予相当的赡养费。其数额的决定，也如前面所说应依双方各种状况而定。这无非保护弱者的意思而已。照中国目前社会来看，中国的女子，如因离婚，十九倒有陷于生活困难之苦；法律有此规定，以维护女子，确属未可厚非；但是中国社会未能使女子都有工作机会，养成她们经济独立的能力；在法律上徒使男子负荷赡养的重担，终究不是根本的办法，这倒值得我们深思的呢！

子　女

保护子女的趋势

自从欧洲大战发生，人类遭受了空前的大屠杀，死亡之数，达几千百万。等到停战以后，许多国家的人口，大见减少，它们发现延续民族生命的要素，发生了影响，于是对于次代的国民，无不岌岌予以保护并加意奖励人民的生殖。及至法西斯统治抬头，为了加紧制造战争，于竭力扩张军备之外，并积极鼓励人民结婚和生产，使人口迅速的增殖起来，作为侵略的资本，战争的“预支”。因为战争固然需要完备的军需，同时也需要大量的人力来支配武器，所以加意重视战争后备军的后一代的子女问题。其他如新兴国家，为要完成社会主义的乐园，对于幼年子女，是认为后一时代的主人翁，是生产过程中重要的战士，故保护奖励，也属无微不至。这二种趋势，虽其目的并不相同，结果善恶，也有差别，但关切保护，则属一致。惟有我们中国因为人口繁杂，对于幼年国民，素来不大重视，又以几千年来宗法制度的遗毒，不能摆脱礼教的束缚，还把子女分成几种身份，法律上社会上，给以歧异的待遇；以致同为国家的国民，父母的骨血，只因身份的差别，有的抬至天上，有的竟被打入阿鼻地狱。这种不平等现象，现在法律已经把它清算过去，固属幸事；而社会上依然如故，还固执成见，显然不合时代环境，应该痛彻的加以改变才对！

对于子女的歧视

在中国旧有的律例，对于子的分别，有所谓（一）嫡子，（二）庶子，（三）奸生子等等。即妻所生的子为嫡子，妾所生的是庶子，私通苟合所生的是奸生子。社会上无不重嫡轻庶；而奸非所生之子，尤无地位，为社会所鄙贱。在法律上，庶子不能承宗接祧，若继承遗产，也只及嫡子之半，有着严格的差别。至于私生子，简直连继承遗产之权——不，继承遗产的机会——也没有。在维持礼教的人们以为奸非苟合，系违反风化的行为背礼义，所以通奸者本身应该惩以重典外，其所生的子女，也不能与婚生子女同等待遇，必须这样以后，始是以杜过乱行；否则，毫无区别，则等于助长淫风，奖励奸通了。这种理论，似属言之有故，但细细推究，便觉绝无理由。因为奸生子的出生，退一步言，如“风化”先生们所说系由于他们父母的缺德（但是缺德与否，不能以纯粹的旧道德观念来论衡，而应该就整个社会经济关系是否迫成人民去缺德的一点来判断譬。如男女因经济问题，不获正式结婚，而不得不实行同居等情，决不能说他们是苟合，是无耻，是缺德），然而子女的本身，并无丝毫过失，何能代其父母负责，而陷于永劫不复的地步？而且事实上贱视了奸生子女，并不减少了他们的出生，风化也并不因此而变好。

这是很好的现象，现行《民法》已经把这种不平等的歧视，所谓嫡子庶子的分野，完全取消。奸生子，或私生子的名称，也同归消灭。因为《民法》不承认妾的制度，所以对于子女已无嫡庶之分，而奸生子的称谓，也有轻蔑的意思，不应形诸法文，故《民法》只有婚生子女和非婚生子女的不同了。

子女的分类

关于子女的分类，依中国旧律，本还不止嫡、庶、奸生等，尚有所谓嗣子、领子等等。如嗣子则系宗法制度的产物，因本人无子，立嗣同宗亲属的儿子，作为自己的儿子，以承继宗祧。领子则领养同宗之子，或异姓幼童，作为儿子。现代各国，也把子女分作自然子女和拟制子女二种。本于自然的血统关系所生的子女，是自然子女；以法律假定为自己的子女，没有直属的血统关系，是拟制子女。这原是法律学学理上的一种分类。即亲生的子女，是自然子女；领养的子女，是拟制子女。至于我国《民法》所分的婚生子女和非婚生子女，则是以有无正式合法的婚姻关系为分别。由婚姻关系受胎而生的子女，如妻所生的子女是婚生子女。反之，如私生子，乱伦子，养子等，是非由婚姻关系受胎而生的子女，所以是非婚生子女。

婚生子女的三个条件

现在，就《民法》所定的婚生子女和非婚生子女，逐一加以诠释。婚生子女是由婚姻关系受胎而生的子女，已如前说。但这样的说明，在法律的含义上还嫌不够。所谓婚生子女，必须具备下列条件：

（一）父母是合法的婚姻；

（二）受胎系在婚姻关系存续中；

（三）受胎期内父与母有同居的事实。

第一个

所谓合法婚姻，如须达一定的年龄，和没有“无效”（如婚姻不举行公开仪式，与直系血亲，或直系姻亲结婚等）及“撤销”（如重婚，或与相奸者结婚，或结婚出于被诈欺胁迫等）的原因。必须这样的所生之子女，才是婚生子女。但撤销之前所受胎的子女，依法律不溯既往的原则，纵使婚姻撤销，也认为婚生子女。

第二个

其次，受胎系在婚姻关系存续中，有了婚姻关系，而且在存续之中，那么这时候所受胎的子女，当然应该是婚生子女，自不待言；但是也有例外：就是婚姻关系以前，父母实际上已经发生性的关系，而于子女成胎以后，才取得合法婚姻关系的，照此情形，受胎并非在婚姻关系之中，则其所生子女，是不是“婚生”呢？是不是合于《民法》规定的“称婚生子女者，谓由婚姻关系受胎而生之子女”（《民法》第一〇六一条）呢？能不能依“妻之受胎，系在婚姻关系存续中者，推定其为婚生子女”（《民法》第一〇六三条）来推定为婚生子女？《民法》既无其他可以援用的条文，照一般解释，是应该认为婚生子女的。不但如此，这种情形，其实包括下列三种，即：

（一）受胎在婚姻关系前，出生在关系中；

（二）受胎在婚姻关系前，出生在关系消灭后；

（三）受胎与出生都在婚姻关系之前，而父母结婚于后的。

《民法》虽没有明文规定，在解释上，都应同样认为婚生子女。

第三个

以上两个条件，还不能确定所受的胚胎一定是父母的结晶。不论在婚姻关系之中，或婚姻关系之前，母不一定系与父同寝而才受胎的，和父以外的第三人发生性关系而受胎的，事实上不少其例。并且虽然与父同居一起，不一定有性的行为。譬如夫或者因疾病不能性交(性机能暂时丧失)，则纵属同寝，妻也万无受胎之理，若此情形，妻忽然有孕，则胎儿不是夫的血亲毫无疑义。所以受胎期内，不但父与母要有同居的事实，而且必须有性交的事实，然后所生的子女才能认为婚生子女。

婚生子女的认定

但是第一第二两个条件，都可以合法地来证明。而第三个条件虽有此事实，却不容易证明。那么是否“亲生”如果发生问题，岂非还难辨断？在以前，中国有所谓“滴血”的办法。据说是起于六朝的时代，以为血亲的血液，放在水中，血会凝结一起；如滴于死尸的骨上，血会渗入；如非至亲，则都不能。但是现在医学上研究的结果，认为这种办法，没有多大的可靠性。就是最近医学上发明的血清学的亲子鉴定法，虽然已经为多数国家所采取，但也不能说是绝对的正确。那么认定是否“亲生”，真的没有办法了呢？不，各国的立法，都规定一种受胎期间，在此期间内受胎而生的，作为婚生子女。另外规定如能证明在此期间并未与妻同居的，可以否认为自己的子女，双方兼顾，便可有一个确定。我国《民法》，也如此规定。

受胎时间

《民法》第一〇六二条规定：“从子女出生日，回溯第一百八十一日起，至三百零二日止，为受胎期间。”又第一〇六三条第二项规定：“如夫能证明于受胎期间内，未与妻同居者，得提起否认之诉。”因为依现代医学上研究的结果，胎儿从得胎到出生，即胎儿在母腹中，通常最短不会少于一百八十天（六个月）；最长的，有经过三百天（十个月），而方始生产的。因此什么时候受胎，即可依此来推定，就是这最短期与最长期相差的一百多天是受胎时期。如果这一百多天内，夫妇在婚姻关系的存续中，而其婚姻是适法的婚姻，同时在此期内确有性交的事实，则出生的子女，即属婚生子女。譬如子女于十一月三十日出生，则决定他的受胎期间，可以回溯到第一百八十一天至三百零二天的中间一段时间。换句话说，就是从六月一日起到二月一日止，这一个时期里，父母有婚姻关系且有同房的事实，那么这个婴儿应该推定为“婚生”无疑。如在此时期并无受胎的可能，父亲如出门在外，生有疾病等情，则于十一月三十日生出的孩子，便不能认为婚生子女了。

非婚生子女

至于非婚生子女，前面已说过是没有婚姻关系受胎而生的子女，包括奸生子，乱伦子，养子以及一切非“婚生子女”的子女。他们的父母，既为法律不承认为合法的婚姻，所以在男性方面，常常利用这种法律上的规定，对于自己骨血的子女，借此抛弃，不负责任。尤其一般儇薄少年，纨绔子弟，寻花问柳，肆意放纵，和人发生关系，生产子女以后，即便置之不问，以致同为子女，在有婚姻关系者则养尊处优，没有婚姻关系者，则流离颠沛，于人情法理，俱属背离。为求非婚生子女与婚生子女平等，法律应该订定非婚生子女，有请求其生父认领之权；然后，非婚生子女方不致长被抛弃！现代各国立法，都有这种规定，我们的《民法》，也属如此，实系非婚生子女之福。

非婚生子女的认领

《民法》对于非婚生子女认领的规定，有下列各点：

（一）非婚生子女，其生父与生母结婚者，视为婚生子女。这在上面婚生子女的三个条件一节内已经说明，现在不必重说。

（二）非婚生子女，经生父认领者，视为婚生子女。这是由父亲自动认领他所生的子女，那么应该和婚生子女一样地同受保护，不能有所分歧，当然不成问题。

（三）非婚生子女，经生父抚养者，视为父亲的认领，而有婚生子女同样的地位。因为既由父亲抚养，当然认为他自己所生。那么其与生母虽没有合法的婚姻关系，显然不能因为母亲没有法律上地位，而使无辜的子女，也受不平等的待遇。所以凡是由生父抚养的，都与婚生子女一律，譬如妾和姘妇所生的子女，其生母与生父曾经同居，由生父负担过生活上的费用，子女同受抚养，则生母虽始终未曾取得合法的婚姻关系，或嗣后的同居关系也消灭了，其子女不受影响，法律没有权利义务，和婚生子女有别。

请求生父认领的情形

上面三种情形，都由生父方面说的；反之，如生父方面并没有这种情形，那么非婚生子女怎样才可被认为婚生子女的机会呢？所以，在子女方面，必定也要有请求生父不得不承认的权利，才可以弥此缺憾，这个也可分作下列几点来说：

（一）受胎期间生父与生母有同居的事实者。既然有同居的事实，其所生的子女，当然是生父的血亲，应无疑义，有此情形的，当然可以请求生父认领。

（二）由生父所作之文书，可证明其为生父者。生父所作的文书，当然有充分的证据力，那么据此以为请求生父认领，自属毫无问题，生父也难讳避。

（三）生母为生父强奸或略诱成奸者。强奸或略诱成奸，在刑法上构成犯罪，应负刑事上的责任。则其因此而生的子女，更不能不令其负责，所有此情形，便得请求生父认领。

（四）生母因生父滥用权势成奸者。这和第三款有二点不同的地方：（甲）上款必须强奸或略诱；而本款情形，则和奸及和诱也在其内；（乙）上款不须权势关系，本款则非逼于权势成奸不可。所谓权势者，譬如长官对于属员，店主对于店员，监狱职员对于囚犯等等，运用权势，使对方不得不听从其奸淫之谓。由这种情形所生子女，可以请求认领，其理由与前款相同。

不得认领的情形

以上所述，都是《民法》规定生父认领的条件。这种规定，在立法上的术语叫做“列举主义”，就是一件一件的列举出来，非合乎这举出的条件的，便不得请求认领。因此许多学者觉得限制太严，事实上尽有其他情形，应该可以请求领认的，只因有此限制，便无法请求，不仅杜绝了非婚姻子女合法的出路，也使社会不能消灭无所依归的子女，无疑是立法上一大缺点！

《民法》还有一点，也是不大妥当的。那就是第一〇六八条："生母于受胎期间内曾与他人通奸，或为放荡之生活者，不适用前条之规定。"所谓"不适用前条之规定"，意思就是不得请求认领。当然，立法的原意，以为生母在受胎期间内与他人通奸或行为放荡者，所受之胎，究为谁何的种子，实在分不清楚。如果准许领认，一定纠纷丛生，可以弄得"不可开交"，所以定为不许认领。这种见解，虽然未可厚非，但我想也许会有些"礼教"、"风化"之类的毒菌在作怪。以为一个女人有了胎，便不应该再与其他异性发生关系；如若如此，其所生子女应无认为婚生子女的权利。其实，生母既没有和生父正式结婚，当然不负贞操的义务，即有放荡行为亦不能影响于生父所种下的骨肉的权利。若说将加多纠纷，那么也不是没有补救的办法。如果真以子女的利益为前提，而不是板起面孔，维持风化的话，那么苏联《婚姻亲子及监护法》的规定，也未始不可斟酌采用。就是有此情形的，法院可以判决，认定一人为子女的生父，使其负起抚养的责任，而免子女失所依归，实在是着眼社会利益的立法例,《民法》未能采纳，不能不说是一个缺憾!

请求认领的“人”

其次，请求认领，照理说，应该由非婚生子女本身来进行。但是最需要请求认领的时候，子女大都在襁褓之年，或者幼小未达成年，那么这样年龄的人，依法没有行为能力，或仅有限制行为能力，根本不能独立请求。所以《民法》规定由子女的生母或其他法定代理人为之。但是因为《民法》这样的规定，请求权变成只有生母或其他法定代理人有之，而非婚生子女本身，竟无权请求。设或生母死亡，且无法定代理人，则非婚生子女即使将来年龄长大，已有合法的行为能力时，也将没有权利，为他们自己的利益而请求；无端的剥夺他们的权益，岂得谓之公平?

请求认领的时期

上面是说明请求认领的“人”的问题，现在再说请求认领的“时”的问题。依《民法》第一〇六二条第二项的规定，认领的请求权，自子女的出生之后，于五年间不行使而消灭。那么只有在子女出生后的五年内方可请求生父认领，过此期间，即不得请求。这在从早确定，免多纠纷的一点上设想，当然不成问题，但是从子女的利益上着想，则不免酷刻一点。譬如生母死亡，又未设定其他法定代理人，则即使到了子女成年以后，五年的期间早已过去，已经没有可以请求生父认领之权，在这样情形之下，子女势非终身做无父无母之人不可！

遗产继承

只有宗祧继承

中国从前没有遗产制。因为中国几千年来，是以礼教立国，对于财产问题，不大十分注重，所以在家庭中所表现的情形是大家庭制度，以同财共居为美德，以五世同堂，三代不分家为算模范。在财产上，以兄弟相让，当作一种美谈。至于女子更无一点地位，半句话都不能讲。所以中国从前倒很可以说是没有遗产问题，有的只是宗祧继承问题。

考宗祧制度，是封建时代的产物。所谓宗祧，是宗庙要有祭祀的人，使香烟不致断绝。一般人习惯上迷信很深，以为死后，一定要有人祭祀，“羹饭”可以不绝，做鬼才不苦。孔老夫子也说什么“不孝有三，无后为大”，大家都以没有儿子接续宗嗣为缺点，有的地方，以“绝子绝孙”为骂人的刻毒名词，而受者亦觉绝大侮辱。

宗祧制度的废止

宗祧继承制度，在昔有什么大宗、小宗的分别，系就相当严密，有条不紊；但到后来渐渐失了原来的系统。又因人齿日繁，人事复杂的缘故，纠纷便一天加多一天。到了现在，时代环境，完全不同；个人主义，逐渐发达，中国社会经济情形，有的也由封建形态，而渐趋商业资本、金融资本的路上去，财产的观念，远过于宗祧的观念。而近世各国，在继承制度上，也都以财产为惟一的标准。中国的宗祧制度，富有迷信色彩，而系统又乱，不足适应现世人事繁复的需要，所以非根本废弃不可了。

自从国民革命成功，国民政府着手订立《民法》的时候，中央政治会议，就拟定废除宗祧制度。把立嗣不立嗣，谁应立谁，谁不应立谁等等问题一笔勾销。原来《民法》没有颁行之前，法律上沿用前清《现行律》，必须什么“无子者，许令同宗昭穆相当之侄承继。先尽同父周亲，次及大功，小功，缌麻，如俱无，方许择立远房及同姓为嗣”。到《民法》颁布施行以后，此种宗祧继承的法制，完全一扫而空，把这种富于迷信观念，不合时代精神的旧制度，几千年遗传下来的恶习惯，廓而清之，确是法律上比较痛快的一件事，也好算是革命在法律上一个成果。

可惜不能把遗产废除也

至于现在世界各国的继承，都以财产为标准，中国是否也要模仿采用？这一点那是和整个社会经济机构有联系的。但一般比较前进的法学家，都觉得财产的继承，也要和宗祧的继承同样一笔勾销，完全废弃，或加以限制，才算一件天下最公平，最痛快的事。他们以为遗产的害处，真是指不胜屈。使得兄弟争吵，亲族纷扰，社会不得安宁。而后一代的人依恃遗产为生活，不事生产工作，养尊处优，不劳而获，成为社会的寄生虫。譬如现在的《民法》都根据男女平等的大原则而订定，因之女子也有了继承之权，可以继承先人的遗产，在女子私人多了一种法律之权利，当然是可以欣幸的事，而从社会的立脚点看来，不过在雄性的寄生虫之外，又多了一批雌性寄生虫罢了。所以大家主张不论男女一律把遗产废除，才可使社会无废人，大家必须自食其力了。这种主张当然会博得头脑清楚的人们的同情，但是单单废除遗产，其实还是枝枝节节的解决办法。不过话要反过来说，如果法律上能够先做到废除遗产的继承，未始不是于社会有利的。但我们必须有根本的认识，在社会生产关系不曾达到某一程度之前，即没有废除的可能；即使可能，也决定还是不彻底或不能持久的。因为那一种人握有立法权的，这种人就制定有利于自己一群的法律，因此有财产的人群握着立法权的时候，不会在法律上制定废除遗产，是毫无可疑的。这是研究法律需要知道最根本的一个原则。

六个问题

现在我对于中国法律规定的遗产继承，分作六部分来说明。就是：

（一）遗产之继承人的范围。就是谁有资格继承，谁没有资格继承。

（二）继承人之顺序。就是谁轮着第一，谁轮着第几。

（三）夫妻和养子女间的继承。就是夫妻及养子女有无继承权，及其顺序，应继分等问题。

（四）代位继承。就是应受遗产的继承人先已死亡，是否有人可以代其继承。

（五）妾及其子女，外妇及其子女的继承问题。

（六）遗腹子的问题。

继承人的范围

第一，继承人的范围：被继承人死了，他的遗产应当谁来继承呢？从前只有儿子有此资格。别人不能问鼎。所以没有儿子，要立嗣一个来承受遗产，顶替香烟。即是自己滴血骨肉如女儿和父母，亲近恩爱如配偶，都没有沾光的权利。这显然也是不甚公平的事。那么现在的法律怎样规定呢？有没有把这种不公平的习惯革除呢？答复是有的。以前所有遗产只限于男子可以继承，现在女子也有资格了。此外，继承人的范围，也不限于被继承人的子女，配偶也有相互继承之权了。所谓配偶者，就是说男人的妻子，或女子的丈夫，任何一方死了，他方就有继承其遗产之权。还有兄弟、姊妹、父母、祖父母，也可以承受被继承人的遗产，所以范围的确宽广得多，不像以前一样只限于儿孙；没有儿孙的，骨血的父母兄弟都轮不到，却轮到别人身上去。但诸位千万不可误会，以为父母兄弟姊妹对于被继承人的遗产都有一份的权利，或者可以和被继承人的子女“平分秋色”。其实，法律上虽许他们有权继承，可是一定要没有儿子、女儿的时候，才许血缘最近的人去继承，最近的也没有，才许次近的人；连次近的人也没有，则较远的人才可继承。并不是不分顺次，一律都有继承权的。至于那种人是最近，那种人是次近，那种人是较远，其顺序如何规定，便是第二个问题要说明的。

继承人的顺序

第二，继承人的顺序：就是谁应该先，谁应该后的问题。《民法》第一三八条规定，遗产除配偶外，由下列顺序的继承人承受：

（一）直系血亲卑亲属

（二）父母

（三）兄弟姊妹

（四）祖父母

关于配偶一点，等一等到后面再说。要晓得继承人的范围，通俗一点说，继承人的资格虽然如此宽泛，上自祖父母，下至子孙，旁及夫妻，一股脑儿都有继承权；然而这许多人并非同时有此继承权，其中有先后之分，必定没有第一顺位的人，然后第二顺位人，才得享受遗产；第三、第四便轮不到。其外可以类推，不必列举。

那么，第一应该是谁呢？是直系血亲卑亲属。所谓直系，是自已直属的一系；血亲是有血缘关系的；自己直属一系的血亲，如父母，子女，祖父母，孙子女等都是。所谓卑亲属者，是自己的卑幼，当然就是自己的子孙们。所以所谓直系血亲卑亲属者，换句话说，就是自己的子孙而已。这里应该特别指出的，直系血亲卑亲属，是不分性别，男女一律的。《民法》上承认女子有继承遗产权，并非特设一条规定，不过包括在这一项之下罢了。至于女子已嫁未嫁，也和男子一样，并没有已婚未婚之别，一律都有继承之权。这是大家都知道的，不必再费辞细说。

跟着有一个问题，就是被继承人如果没有直系血亲卑亲属，没有儿女，也没有孙儿女，是不是就轮到本人的父母呢？如有这种情形，被继承人，得在生前以遗嘱来指定继承人的。但如并不指定，那么就轮着第二顺位的父母了。如连父母都已亡故，便由兄弟姊妹来继承。这兄弟姊妹是指同胞的而言，堂兄弟姊妹并不在内。《民法》第一一三八条第一项第三款的规定缺乏了一个“胞”字，不免使人发生误会。还有兄弟姊妹，是同顺位的，既非兄弟在先，亦非姊妹在后，无分彼此，同时并有。再如连兄弟姊妹都没有，那么第四才轮到祖父母。假使自第一顺位人至第四顺位人一个都没有，怎么办呢！这在法律上另有规定，我们待以后有机会再来讨论，这里暂且不说。

夫妻相互承继

第三，就是夫妻和养子女的继承。我在上面已说过

《民法》第一一三八条，遗产继承人除配偶外，由直系血亲卑亲属等依顺序继承。所谓“除配偶外”其意思是配偶有“相互继承”之权，而且超然于父母子女兄弟姊妹之外。有子女的，配偶固然也有继承之权，无子女而仅有父母兄弟等的，配偶更有承受的权利。相互继承者，就是夫死亡了，妻有继承夫之财产之权，妻死了，夫也有权继承妻之财产。在《民法》颁行以前，夫死了，妻子是不能继承夫的遗产的。夫的遗产，只有儿子可受；因为妻子的生活，可以依靠儿子不必把遗产传给妻子。俗谚所谓“未嫁靠父，已嫁靠夫，夫死靠子”，真切地说明了中国的女子，终其身，没有享受独立财产之权，继承夫产，当然无此权利。这种传统的习俗制度不但蔑视妇女，置之于从属的地位，违反男女平等的现代思潮。即以依靠儿子生活而言，儿子好，当然还不致成为问题，如果儿子遗弃，则原可恃夫的遗产来维持的，却剥夺了她应享的权利，好像非使之陷于饥寒不可似的。况且以前所谓传给儿子，不一定是亲生的骨肉，每每以非亲生子立嗣作为儿子，这种假如子的情感，原已不甚纯粹，父死之后，发生遗弃，使寡母生活艰难，更属常事。依常理而言，夫妇是最亲近的，反而受此困难，岂非不平之甚？《民法》在这一点上，规定配偶有相互继承之权，寡妇的生活，才有了法律上的保障。

养子女也有份

其次，谈到收养的子女，有没有继承权呢？许多人因为自己无所出，感觉生活的寂寞；或者宗祧观念，犹未泯除，往往领养他人的子女作为自己的子女，抚育教养，完全和亲生的儿子一样。虽然不是血亲，而确有父子母女的关系，等于准血亲。所以养父母死亡之后，法律是许其有权继承的。同时因为《民法》第一〇七七条规定：养子女与养父母的关系与婚生子女相同，所以不但与婚生子女同有继承权，且应解释包括在第一一三八条第一项“直系血亲卑亲属”之内，是同一的顺序的（《民法》第一一四二条）。

话虽如此说，对于养子女的“应继分”却有分别，如与婚生子女同继遗产的时候，只能有婚生子女的二分之一。如被继承人没有婚生子女的，则与婚生子女应享的权利一样。

代位继承

第四，法律上还有一种人可以继承，叫做代位继承的。何谓代位继承？就是应有继承权的人，未到继承的时候，已经先被继承人死亡，他的应得的遗产，由他的后代，代他的位子去承受。譬如一个祖父生了二个儿子，二个儿子各人又生了一个孙子。其中一个儿子死了。照通常说，死了的一个人，已经死亡了，应该没有继承之权了。但是他还遗有一个儿子（即祖父的孙子），依照现在的《民法》，这个孙子，在他祖父死了之后，他可以代他的父亲来和祖父的另一个儿子，共同承受祖父的遗产，这就叫做代位继承。这也不分男女的。譬如祖父生的是一个女儿，她出嫁以后生有子女，却先于祖父死亡；到后来祖父也死了，那么她的儿女，所谓外孙子女，也都可以代她承继：这也是法律上的代位继承。最近社会上轰传着外甥和舅父姑母争产的事件，他们所根据的，就是这里所说的代位继承权。

妾没有继承权

第五，就是妾和其子女，有继承权否？又对于外妇和其子女的对于遗产继承，是怎样规定的？

妾的问题，法律上只认一夫一妻是合法的，是不承认她有法律上的地位。现在的《民法》，没有关于妾的规定；有之，惟认她有家属的关系。就是第一一二三条第三项所谓“虽非亲属，而以永久共同生活为目的，同居一家者视为亲属”。而大理院和最高法院历来的判决和解释，都以妾是家属的一员。因此，依《民法》，“家属与家长有相互扶养的义务”（《民法》第一一一四条第四项），而“被继承人生前扶养之人应由亲属会议，依其受扶养之程度，及其他关系，酌给遗产”（《民法》第一一四〇条）。那么虽未曾赋予继承一定之遗产的权利，而妾有承受遗产之权，法律已予承认。在妾的方面讲，当然生活有所保障，自属法律周到之处。但是依社会的立脚点来说，妾是社会的赘物，非一夫一妻制所能容许，应该彻底消灭，法律也不应予以地位。而在立法的观点说，全部《民法》既无妾之地位，且《刑法》上规定与配偶以外之人发生性关系者，作为通奸罪论，立法意旨明明不许有妾；而判决解释，却又承认妾之地位，立法未免过于矛盾，实是一大缺点。而且法律一有了妾的地位，无异奖励或提倡妾的制度，这对于社会种下了不良的结果。是非常可惜的！

其次，要谈到外妇。妾本来也是外妇的一种，不过妾的要件是与家长同居一家而以永久共同生活为目的的，而外妇则不同居一家。这在法律上叫做“同居关系”或“姘居关系”。并不以永久共同生活为目的，而只是暂时的同居；也不是继续扶养的人，所以法律一律不予承认，当然没有“酌给遗产”的权利。

妾的子女

妾和外妇虽有如此分别，至于她们所生的子女，在以前叫做庶子或私生子的，却没有什么分别。《民法》上一律称做为“非婚生子女”，就是没有婚姻关系的所生的子女。妾和外妇，是没有正式的婚姻关系，所以所生的子女，便叫做非婚生子女。这非婚生子女对于遗产有没有继承权呢？这要分别来讲，妾是同居一家的，以永久共同生活为目的，妾所生的子女，当然也是如此，必然由父抚育长成，而外妇则并不同居一家，且多半是暂时的结合，所生子女，做父亲的不一定都去教养。因此，《民法》虽都视为非婚生子女，而对于外妇的子女规定必须父亲认领，才与婚生子女有同等权利。但妾的子女因为同居一家由父抚育的缘故，便无须认领。《民法》规定“非婚生子女经生父抚育者，视为认领”。所以二者虽与婚生子女均有同样的继承权利，可以继承父亲的遗产，而事实上却还有这一点点的分别。因为外妇的子女，如生父不予认领，便无继承之权的了。

遗腹子

以前都是就生活着的人而讲，若还未成为人，犹在母胎内的人，就是遗腹子的也应该谈谈。就是尚未出生的子女，如遇父亲死了的时候，有没有继承权？照《民法》第七条：“胎儿以将来非死产者，其个人利益之保护，视为既已出生。”所以如果遗腹子女，将来平安出世，不是生出来的时候就死的，依此而论，其个人利益之保护，视为既已出生，则有继承权，是毫无疑义。因为他虽然没有生出来，可是的确系被继承人的直系血亲卑亲属，应该预为保护其利益方为公平。《民法》第一一六六条有着这么的规定："胎儿为继承人时，非保留其应继承分，他继承人不得分割遗产。"更加确定的保护了胎儿的利益。

遗产的分配

等于奖励游民

对于遗产制度，有的人以为它对于社会人群利少害多，根本上应该废除，不容成立。但是也有人以为应该保留的。因为这是关联于整个国家的社会经济组织的。在私有财产的国家里，废除遗产是不可能的。同时中国几千年来的习惯，死亡人的财产，都为卑幼承受，一旦废除，习惯上固然要起很大的骚动，而中国人民因为教育不普及，大都缺少生产能力，假使把遗产废除以后，不免使一辈没有生活技能的人，流离失所，这样也非社会的幸福，也有很多人如此主张。但这样把遗产去维护无生活技能的人，岂非等于奖励游民，提倡寄生生活？现在且不去研究其理由是否充足，且就已成的法律，看看对于遗产如何规定?

上篇已经说过继承人的资格，现在再谈一谈遗产如何分配？就是谁可以继承多少？谁可以分得若干？……等等。

先说应得多少

死亡人的遗产，应由死亡人的配偶和其直系血亲卑亲属，及父母兄弟等继承；这是上次已经说过了。依此，我便把这许多有继承权的人应得的份数，逐一来说明。

配偶

第一，先说配偶。这要分四点来说:(一)和子，女，孙，曾同为继承时;(二)和父母或兄弟姊妹同为继承时;(三)和祖父母同为继承时;(四)配偶单独继承时。

和子女孙曾等同为继承时，就是和直系血亲卑亲属共同继承的时候，配偶应得的遗产，是和他们平均的。譬如死亡人生有子女四人，财产五万元。那么连她自己一人，每人各得一万元。但此中还要注意的，子女中还有养子女和生子女等问题，等下面讲子女的应继分时再详细说明。

和死亡人的父母同为继承时，那么配偶应得遗产二分之一，父母得二分之一。譬如死者没有子女，而父母俱全，则配偶与父母系三人，其分配方法，却不是三人平均，而是配偶一人得遗产的一半，父母二人合得一半。若遗产二千元，配偶得一千元，父母二人得一千元，父母二人均分，各得五百元。和兄弟姊妹同为继承时，也如此分配。配偶得二分之一，兄弟姊妹共得一半。即以二千元为例，如死亡人的兄弟姊妹有十人，则他们十人，各人只得一百元，而配偶一人单独便得一千元。

和祖父母同为继承时，配偶应得遗产，为其总额三分之二。譬如死亡人遗产三千元，那么配偶便得二千元，祖父母只能合得一千元。如仅有祖父母一人则一人单受一千元。

如果死亡人死了，除了配偶之外，上列所举的各种血亲一个都没有，仅仅剩下他一人，那么所有遗产便归他一人独得。

子　女

第二，是直系血亲卑亲属。这也分五点来说明。(一)男女有没有分别；(二)子和孙有没有不同；(三)嫡庶有没有差异；(四)私生子应得多少；(五)领子应得多少。

一，继承死亡人的遗产，其应得数额，男女有无分别呢？许多人还是给以前重男轻女的观念深深的束缚，以为女人总是女子，虽然有继承遗产之权，可是多少是可以随便的。而且女子应当比男子少得一些。因为女子是要出嫁的，或者已经出嫁的了。她得到了遗产，是拿到外面去的，是送给了别姓的人的。这种见解，中了数千年来传统思想的遗毒，认为法律上，应有如此分别，其实是完全不对的，法律上的大原则，既已订定是男女平等，对于遗产的分配，当然不能独异。男既不能多于女，女也不能多于男；一律平均分配，不得参差。如有多少之别，在少得的一方，依法便可据以请求法院救济。

二，关于孙和子的分配，有什么不同吗？从前宗祧继承，原来有什么长房长孙，应得一份的习惯；譬如死亡人生有二子，二子又各生一个儿子，那么继承遗产，应该分为三份，长房长孙和二个儿子平均分享。可是，现在的《民法》，根本把宗祧继承废弃了，无所谓长房长孙，孙子在他的父亲未死以前，根本没有继承之权。孙子继承祖父的遗产，一定孙的父亲亡故了，代位去继承。即以死亡人生二子为例，一子死了，一子还活着；死了的一子假定也生有三子。那么继承开始的时候，孙才有继承之权，在这个情形之下，——一个子和三个孙，是不是把遗产分成四份，平均分配呢？不是的。还是二份分配，一份，三个孙子合一份。因为孙子不过代替他的父亲承受遗产，而不是直接接受祖父的遗产，所以只能在其父亲应受的数额中去领受，法律不能多分的。但如果死了的一个儿子，仅有一子，则继承死亡人的遗产，只有二个人——一个未死的子和一个孙——那么他们也不因长幼有别，血缘远近而有所参差，是平均分配的。其原因也为孙子所承受的是他的父亲的，而不是他本身自己应有的缘故。

嫡　庶

三，关于嫡子和庶子的应受遗产如何分配的问题。那么，庶子应继的遗产和嫡子是一律平等，没有分别的。

从前大理院对于嫡子庶子争产也有判决例，大约的意思是，男人与自己正式的妻子，互相立了笔据，约定丈夫死后，妾的儿子不问多少，只分给家产三分之一。结果大理院判决说，虽然立了这契约，可是违背法律平均分配的规定，该契约应归无效；确认庶子和嫡子有同等之继承权。又后来的司法院，最高法院的解释例，都是一样。以为不应有嫡庶之分，应该依有无血统关系来决定。这种理由，法学者有二种不同的意见，有的以为对于妾的子女，法律上予以保护，使其有与有婚姻关系的子女，同等承受遗产，客观上有提倡蓄妾破坏家庭的嫌疑，纵不能否认子之血统关系，至少也应在"应继分"上予以分别，间接的予蓄妾制度以打击才是道理。而另一种意见，却以为妾的制度，和妾所生的子女截然是二件事，不能混为一谈。法律上即使不认妾的存在；即使蓄妾是一种罪恶；而妾的子女同是父亲的血肉，他们本身并未犯罪，若因仅仅为了自己母亲的没有形式上的正式的婚姻关系，便把他们"自己父亲的子女"的身份和权利都剥夺了，岂非不平之至，如果予以差别的待遇，岂非罪及无辜，所以主张不应有所分别。二种意见，言之都是“诤诤有词”。不过这种“聚讼纷纭”的见解，假使法律上根本否认了妾的制度，不致一方面以蓄妾为犯罪，——《刑法》上通奸罪的规定——一方面可以妾为家属之一员，像我上一篇所说那种矛盾的情形，便没有这种纠纷，岂不直截了当？

私生子和养子

四，至于私生子承受遗产，则必须经父亲认领的，才有资格，我已在上次说明过；如已经领认，则与婚生子或妾子有同样的血统关系，当然有同等继承的权利，这是不必再多说的了。

五，养子的问题，我在遗产的继承里，已经说过，读者可以复查，现在也不重复再说。

生前支配

以上所说的遗产分配，都是指死亡人身后遗下的财产，生前并未分配好的而言。因为生前自己并未分配，死后必多纠纷，所以法律规定谁应该承受多少，谁应该派给多少，然后才有所依据，不致争多嫌少，闹得一塌糊涂。假使死亡人在生前把他自己的财产预为分配，等他死了之后，再行实施分割的，这种“遗产的分配”,《民法》上的规定，又和以上所说的完全不同了。现在既把死后的分配说明了，也当把生前的分配，在法律上如何规定讲一讲。

不能任意分派

我说的生前的分配，是在生前把将来死亡后所遗下的财产，预在未死之前作分配；并不是在生前把现有的财产分给各继承人。如果照后者的说法，那是赠与财产，并不是遗产分配。依法律讲赠与行为即生前把财产赠与他人，本人有绝对的自由之权，任何人不得干涉。本人可以把财产全部或一部赠与自己所愿意赠与的个人或团体，不留一些给自己的继承人，也是合法的。反之，遗产分配，则不然。虽则本人还可以自由分配，但是须受“特留分”的限制。许多人以为本人活着的时候，既可绝对自由把自己的财产赠与他人，那么，同样在活着的时候，可以自由自在地把财产预先分配与继承人，到死后再去实行分割。所以，常常发生一种现象，就是因为中国家庭组织复杂，富有之家，每每是三妻四妾，而宠妾虐妻，成为一个通例，财产所有者的丈夫或父亲，每每由于本人的爱憎关系，或者由于宠爱者的唆弄，对于正式的配偶或直系卑亲属，总存着偏见，在分配上故意埋没他们的地位，或予以难受的歧视，而妾和子女倒受着超逾平均的待遇。其对其他应有继承权的人，都可以如此任意支配，或把其应有权利取消，则《民法》关于遗产继承的规定，将等于虚文。所以在不违反本人的意思的前提下，予以“特留分”的限制，来保护应有继承权的人，以弥补此缺憾。

特留分

什么叫做特留分呢？就是法律规定有继承权的人，至少必须保留他应该承受的几分之几的数额。如根本没有这个数额的，便是违反特留分的规定，这种支配，虽然完全出于死亡人本身的自由意志，也不生法律上的效力，当事人即得要求重行分配。这无非保护应有继承权的人，不致因被继承人一时的感情作用，致自己的骨血或曾经同衾合枕的人，陷于悲惨的生活，不能立足于社会。如有了特留分的规定，必须给以至少限度的数额，便没有这种流弊了。

特留分的数额

这样，特留分的数额，如何规定呢？这可以分成二组：一组是直系血亲卑亲属，父母，配偶三种继承人，为应继分的二分之一；一组是兄弟姊妹，祖父母，为应总分的三分之一。

譬如一个父亲生有二男二女，母亲健在，约有财产五千元。依法有继承权的人共有五人，如他要在生前预为分配，而且他因为二个儿子都已经成家立业，生活无虞，不想再把财产分给他们，二个女儿是他所不欢喜的，所以也不愿给她们，而拟全部给予他的“老家小”。可是法律规定，不许如此。除非他四个儿女，自己愿意抛弃继承，否则，这一位父亲非要把“特留分”留起不可。就是应该把全部财产依五个应继承人分作五份，每人应得一份，即以五千元为例，则每人的“应继分”是一千元；如照这位父亲不愿给予儿女的意旨，作成合乎法律的分配，无论如何，四个儿女必须有他们应继分的二分之一，换句话说，每人应当“特留”五百元，四人合共二千元，然后才可以把所余的财产，分给他的“老家小”。

特留分的利弊

由前面假定的事实来说，这种特留分的规定可说利害参半。所谓害者，自己的财产，竟不能在生前自由支配，预拟自己身后的事情。譬如，二个儿子，都有生活能力，可以不必依恃遗产为生，而特留分必须给以财产，否则即属非法。而老妻也许是没有谋生能力的人，正需要全部的遗产来养生送死，而因为法律的规定，却必须把遗产留起给予可以为生的人，使老妻养生送死而不足，其不近人情如此。至于利的方面，譬如二个女儿，也是没有生活技能可以为生，而因为老父重男轻女的观念过深，为了爱憎不同的缘故，明有遗产可得，而把其此种权利剥夺，也非人情之常，法律有了特留分的规定，女儿便有所保障，不致吃了大亏。

以上当然是从纯粹的法律立场说话。如果说一个社会已经是教育平等而且普及，每个人都有生活的技能；而劳动工作，又成为宪法上的权利，并有社会设施以保证之者，这种种所谓遗产继承和分配问题，不都是变成多余的了吗？

最后应该说明的，生前的支配“遗”产，必须订立遗嘱，然后才能发生效力；否则，虽足表示被继承人的真正意思，却无拘束任何人的权力。

遗　嘱

遗嘱和遗言

遗嘱是一个人在生前处置自己的财产或家庭的事故，而使其死后发生效力的一种行为。换句话说，遗嘱就是依个人的自由意思，而处置身后事务的方法。习惯上有许多人于临死的时候，每每要遗留几句最后的话，诸如所有的钱，如何分派，所有的事，如何处理；这本来也可算作遗嘱，可是并不是现在所讲的法律上的遗嘱，因为这是未依法律上的方式办理，所以遗嘱的效力，只有使受遗嘱人负道德上的义务，却没有法律上的责任。就是等到他死后照他所嘱咐的做，固然是好，表示受遗言人的尊重死者的嘱咐；假使不依他说的做，可是法律上即不能强制他一定要去做。所以这种最后的嘱咐，只能说是遗言，只有道德的效力，而无法律的效力。要知道这种处置身后事务的意思，攸关个人的财产和家庭的利害，不能仅凭几句口语，随随便便，没有可以依据的东西，便可作数的。所以《民法》规定，遗嘱必须合于法定的条件，必定要有一定的方式，如此法律才可予以保障，将来如有违反遗嘱所规定，或消极的不遵照遗嘱执行的，始可以予以强制的干涉。遗嘱的真正效力，乃方始显现出来，否则有等于无，又何苦多费手脚呢？

法定的形式

还有，许多立遗嘱的人，虽然也有他的方式，甚至也请了人加以证明，好像已经很完备似的。却不知因为某一小点不合“法定的形式”，以致不能认为法律上的遗嘱，不能发生法律上的效力。其初意原为免除身后的纠纷，而订立遗嘱的；谁知反因立了遗嘱，却大起纠纷，岂不枉费心力，冤哉枉焉？

立遗嘱人的资格

什么是法定的方式，缓一缓再说。现在先把立遗嘱人怎样才有资格，怎样是没有资格的说一说。因为虽然任何人都可以依照法定方式立遗嘱，可是也有例外的。譬如年龄未满十六岁的，心神丧失的，精神耗弱的，这一类人，不是知识不足，便是意识不健全。对于处理自己的事务，本来已有欠缺，在法律上是视为无行为能力，或仅有限制行为能力的，以遗嘱攸关其身后亲属家庭以及财产等利害之重大，如放任其随便订立，不仅于立法精神，有所两歧，亦适足使其偾事，而遗害别人。故《民法》规定不得为遗嘱（《民法》第一一八六条）。然而满了十六岁以上至二十岁的一类人，在《民法》上本来也是"限制行为能力人"，凡其为意思的表示或受意思表示，都须法定代理人的允许（《民法》第七七条上段）。盖亦恐其知识经验不足，而以法定代理人的同意，为补救之计。但立遗嘱却许十六岁以上的限制行为能力人有独立自由之权，则因立遗嘱的最大原则是必须本人的真正意思，不能他人代理。而十六岁以上的限制以为能力人，虽然知识经验，仍多欠缺，可是表示正确的意思，却已有此能力，故特许他有独自立遗嘱之权，无须代理人同意。《民法》七七条上半段虽明定“限制行为能力人为意思表示，及受意思表示，应得法定代理人之允许”，但下半段的“但书”也订明“但纯获法律上利益，或依其年龄，身份，日常生活所必需者，不在此限”。立遗嘱一事，可以说是依其年龄身份所必需者，故“应得法定代理之允许”，可以“不在此限”。便觉立法精神没有冲突了。

要注意的一点

遗嘱是依个人的自由意思处置身后事务的一种行为，我已经说过了。因此立遗嘱的最大目的，是在于使他生前的意思，能够在身后发生效力，依照他遗留的意思实行，所以身后能不能发生效力，这是每一个立遗嘱人所必须注意的一件事。就是遗嘱怎样做，才为合法，怎样做了，会影响将来的实施问题。譬如，立遗嘱人对于社会事业颇有扶助的意思，他愿意于死后把所有财产全部捐给一个或几个医院或学校或图书馆等，他恐怕他的子女们或者要反对，所以立了遗嘱，来表示他真正的意思；可是，他死后这遗嘱上所说的，是不是可以有效吗？可以见诸事实吗？这是不能的。因为处分身后的遗产，必须保留“特留分”的，我已经在上次详细说明过了的。违反了特留分的规定，其效力即生了问题。因此不立遗嘱则已，否则，在处分财产上，必须将特留分依法保留，才能有效。

一件可惜的事

关于特留分的问题，我已经说得很多了，可是还有一些意见，附带的再说一说：譬如以上例来说，把全部财产，捐给社会，化少数人的利益，变为大多数人的利益，依理来讲，法律不但不应该限制，而应该多多予以奖励，然而，因为特留分的关系，把可以作多数人利益的行为，限制得他必须放在少数人的利益上去。其不合理为何如？所以有的人主张折中办法，以为法律制定特留分，其目的，无非为死者的继承人得有生活的赡养，不致冻饿而流为有害于社会的人，原意亦未可厚非，但漫无限制，一定要保留二分之一，三分之一，使更好的目的——如捐赠社会等事——无由达到；不如定以数目上的限制譬如说是以一万元为度，过此即可由立遗嘱人自由指派，则继承人有了一万元，已足为生活的保障，而社会亦得多受利益，宁非佳事。在立法院当时讨论这一节的时候，据说有人如此主张过的，但是没有被采取，真是非常可惜的一件事！

法定方式有五种

现在把法律对于遗嘱形式上的规定，即遗嘱的法定方式，共有几种，每种的必备要件，应该如何，逐一加以说明。

法定的遗嘱，一共分为五种。其实虽然是五种，但其实质则并无差别，不过方式不同而已。不但如此，方式也不过大同小异，而没有很多的差异。总之《民法》认定遗嘱无论采用那一种方式，必要的是用书面。若单单以言词作遗嘱的，民法概不承认。因为遗嘱必须于当事人本人死了之后才发生效力，若不用书面，何以确切证明有此遗嘱，有此意思？如不能确切证明，不是徒增纠纷而已？所以五种方式，一律都需要书面记载。所谓五种者，《民法》第一一八九条说：

遗嘱应依下列方式之一为之：

（一）自书遗嘱；

（二）公证遗嘱；

（三）密封遗嘱；

（四）代笔遗嘱；

（五）口授遗嘱；

就是。兹分别说明之。

自书遗嘱

第一种自书遗嘱，就是由本人自己亲笔书写的。它的方式，应该：（一）自己亲笔书写遗嘱的全文；如写了一半或一部分，其余的再请别人去写，是不生效力的。不，不要说一章一节不能由别人写，就是一句一字也不成。全部的文字必须亲自书写。（二）在遗嘱中，必须记明书立遗嘱的年月日。何以必须要记明年月日呢？第一，可以使人知道立这遗嘱的人是不是十六岁；第二，可以使人知道在这时期内，是不是心神丧失，或精神耗弱；第三，可以使人知道遗嘱是在那一个日子立的。（三）写好遗嘱全文之后，必须亲自签名；倘不签名而盖用图章，照《民法》第三条的规定，本来有同等之效力；但《民法》以为既然能够自写遗嘱，那有不能自己签名的道理，所以必须亲自签名。（四）所写的遗嘱如有增减涂改之处，要注明增减涂改的地方和字数；并且另行签名，譬如写明第几页，第几行，第几字，增多少字，或减多少字，并在注明之处，另行签名，以示是自己加减，而不是别人的作弊。

公证遗嘱

第二种公证遗嘱，是在公证人前订立的遗嘱。它的方式，可分四节来说明：（一）何谓公证人？公证人是国家所设置的一种专门为人民作公正的证明的官吏。《民法》虽然这样规定着，可是自从施行以后（即二十年五月五日）从来不曾有公证人的设立，直至去年才有了这种设施，而且不是由行政方面所设立，而是由法院派一二个推事去专责办理，附属于法院之内的。而且只有少数省份才施行，其他各地还没有。其请求公证尚有种种手续和程式，这个俟有机会时再详细说。现在仅就公证遗嘱的方式来说。

立公证遗嘱人须将立遗嘱的全部意旨，即怎样处置身后财产和事务的情形，一一详细在公证人之前口述出来，由公证人依照立遗嘱人的意旨一一详细笔记下来，书写好了，作成遗嘱的全文，再一一宣读并讲解其内容。因为立这种遗嘱的人不一定多要识字的，所以《民法》规定必须讲读，使本人明了公证人作成的遗嘱，究竟说些什么，以免与立遗嘱人的本旨相反，或不相符合。（二）就是必须有二个以上的见证人，在场证明亲见立遗嘱人自向公证人陈述意旨，及公证人宣读讲解等情形。所谓二人以上者，必须有三个人，再多当然不成问题，多至怎样程度也没有限制，但少于三个人，则不合法定方式，遗嘱便不发生效力。（三）公证人作成的遗嘱，经宣读讲解之后，如立遗嘱人承认完全是自己的意思，并无什么不符，那么和自书遗嘱一样，也要把年月日一并记在上面，如有增减删改，当然也是一样。（四）以上的手续都做好了以后，乃由公证人、见证人及立遗嘱人一一签名。遗嘱人如不能签名的，捺一个指印，也属合法，不过要记明不能签名的事由才可。这里就发生一个问题，就是盖印章和画十字，是不是发生效力呢？依《民法》第三条第二项的规定："如有用印章代签名者，其盖章与签名生同等之效力。"同法同条第三项规定画写十字的效力，与捺揿指印相同（即同为须在文件上经二人签名证明）。但这里却只规定一种捺指印，否定了盖章和十字的效力，立法精神，显得不能一致，不免有顾此失彼之讥了。

上面说过，公证人在《民法》施行以后，相隔四五年，并未设置公证人，假使有人要立这种遗嘱，怎么办呢？又譬如现在已经设有公证人的地方固然不成问题，如没有的地方，和侨居国外的人民，遇到这种情形又怎么办呢？这在《民法》，倒已经顾到，就是《民法》第一一九一条第二项定有：如无公证人的地方，可由法院里的书记官，在国外的中国领事，均可代行"公证"职务，作为补救的方法。

密封遗嘱

第三种密封遗嘱。如本人不愿把自己所立遗嘱的内容，于生前就给关系人知道，免得引起无谓的纠纷，这样就可以把遗嘱内容，由本人写好，或托人代写，自己把它密封起来。(一)于封缝之处签上自己的姓名。(二)由自己指定二个以上的见证人，将遗嘱向公证人提出，说明是自己的遗嘱。(三)由公证人于封面上记明提出遗嘱的年月日，和遗嘱人所为之陈述。如遗嘱并非本人亲自所写，而系别人的代笔，则封面上并须记明系属代笔，并写明代笔人的姓名及其住所。最后(四)由公证人与本人、见证人共同签名。密封遗嘱的条件，至此方始具备；如稍有欠缺，即不合法。但稍有欠缺，而其遗嘱系具备自书遗嘱，或代笔遗嘱的方式者，当然有自书遗嘱代笔遗嘱的效力，这是不必细说的了。

代笔遗嘱

第四种是代笔遗嘱。望文生义，一看就知道是别人代写的遗嘱。前面所讲的公证遗嘱，也是别人代写的。所以这一种代笔遗嘱的方式，和公证遗嘱的相同的地方多，不同的地方少。同的地方，是须由遗嘱人口述遗嘱的意旨，由别人笔记宣读讲解和记明年月日、指定见证人等等。不同的地方，口述意旨，不向公证人而系向见证人中之一人为之。其笔记遗嘱意旨，并宣读讲解等行为，也由见证人中之一人行之，而不是公证人了。见证人则必须三人以上，而公证遗嘱只须二人以上。最后一点的不同，则是代笔人必须在遗嘱上写明姓名；而公证遗嘱不必写明代笔某某某的，因为公证遗嘱的代笔人就是公证人，根本不需要写明的。

口授遗嘱

第五种口授遗嘱。依照字面来解释，上面所说的代笔、公证二种遗嘱，都是口述意旨的，应该也是口授的遗嘱。但是这第五种的口授遗嘱，本质是不同的。同时，我在最先曾经说过凡是以言语为遗嘱的，法律所不认，怎么又有所谓口授遗嘱呢？这问题的解答，是需要进一步的说明的。

有许多情形，每每千钧一发，迫不及待，决不能从从容容去做的。譬如突然患了急病，生命危殆；或者因为偶然发生的危险，死亡立至，在此生命绝续之时，需要遗嘱，而无法按照以上各种法定方式去做；又如军人出征，立待开发，一刻不能停留；或者如现在有志青年，因愤于敌人的猖狂，投笔从戎，出发关外，誓在必死，急待启行，都要预留种种意思，以为死后的处置，当此之时，其急迫情势，至于不能依其他方法来作遗嘱，这种情形，法律上不得不承认他们有口授遗嘱的机会。所以特有这一种口授遗嘱的规定，但是也必要有此万不得已的情况，始能有此例外的运用。如不备此前提的——急迫情形——便不能援用。

虽然说是口授，其实还和先前所说必须用书面记载一律，并非仅仅以言语说之即可合法的。不过其手续较为简单，规定并不严格而已。然而必不可少的，是由本人指定见证人二人以上，本人口授遗嘱意旨，由见证人中的一人，根据其口述作成笔记，记明年月日和其他见证人共同签名。这是最低限度，也可以说是最高限度，因为有此方式，口授遗嘱的法定条件已经具备，既不要公证人证明，也无须宣读讲解，因为形势急迫，已无这种行为的必要。本人能否签名，也不成问题，能够自己签名当然最好，不能也无妨碍。因为事实上生命危迫的时候，也许口授意旨完毕，本人的生命或已告终，也未可知，如此一定要他签名才认遗嘱为正式，未免“刻舟求剑”。此种口授遗嘱，本来为适应急迫的情形才有此规定，签名当非必要的。这并非法律上马马虎虎有意轻率；而因为当此之时，既属急迫，不能过事严格，只要是本人的真正意旨，于事后加以严密的补正，便够了。

口授遗嘱的补正　事后的补正，可以分做两层来讲，第一是危险过去，回复了原状；第二是遗嘱的效力问题，就是遗嘱人死亡了，这草率的口授遗嘱，是不是就发生效力，有没有其他的条件要履行。

第一，譬如病人经过各种的医治，渐渐好了，恢复了原来的健康；或者军人出征，打了胜仗或宣告和平回到老家来了；或者当义勇军的，经过若干年没有牺牲，奏了凯旋把失地收复，荣归故乡了，这原是应有的事。如遇到这种情形，以前急迫所作的口授遗嘱，是不是依然有效呢？《民法》规定有一个时间，就是口授遗嘱人，如已经能够依其他方式作遗嘱的时候，从这时候起，经过一个月，如不依其他方式另行订立遗嘱的，——立不立不成问题的——以前所立的口授遗嘱便没有法律上的效力，等于废纸了。这个理由非常简单的。匆促急迫所作成的，一定不能很完满，当时原不过为应急而迁就些事实，等到危迫的时机已经过去，尽管可以从从容容来依照法定遗嘱的方式来作了，自应该把“急就成章”的东西废了，以免偶然留上了的缺点，遗下无穷的赘累。如果没有瑕疵，则依照原来的意思，制成其他的遗嘱岂非更有保障?

口授遗嘱的认定　第二，遗嘱人死亡了，口授遗嘱是不是就发生效力，和其他依法作成的遗嘱一样？因为这种急遽草率作成的东西，毕竟包含着种种缺点，而且狡黠之徒，也因为缺乏严密性的关系可以借假伪冒，以遂私图。所以《民法》规定这种遗嘱的效力，一定要经过“认定”以后才发生的。就是遗嘱人死亡后，在三个月内，由见证人中的一人，或者其他有利害关系人提出于亲属会议，经其认定真伪，是否出于死亡人本人的意旨，有无假冒作伪的弊端，或者乘其病危的时候从中播弄，或者就其本人的意旨故为出入等情。认定的权限，只限于亲属会议，其他无论任何个人无此权利。至于亲属会议如何组织，召集，如何决议，《民法》另于《亲属》编规定綦详，说来话长，现在只得暂缺。

总而言之，统而言之，以上种种遗嘱的方式，不论那一种，自书遗嘱也好，代笔遗嘱也好，或者密封遗嘱也好，无论如何，必须依照各种遗嘱所规定的各别的方式来订立，不能有一丝一毫的欠缺或更改。如果欠缺或变动，法律上的效力便生问题。许多人不明白法定方式的重要，完全依照自己的见解作成了遗嘱，自以为非常稳妥，岂知因为不合法定的程式，只要有一个人出来说是不合法的，那么这遗嘱的效力，便成了问题，这是不可不特别注意的一点。

取消遗嘱

关于遗嘱的各种情形，约略都已讲过。最后我想再提二个问题来说一说。一个问题是立了遗嘱是否可以取消？第二个问题是立了一份遗嘱，是否随时可以另行再立遗嘱。

第一个问题的答案，是可以取消的。这在法律上叫做“撤销”。《民法》第一二一九条规定：“遗嘱人得随时依其遗嘱之方式，撤销遗嘱的全部或一部。”因为法律既经许人民自由订立遗嘱，为重其自由意志，那么他要取消，也是他的自由意思，依尊重个人自由的法则，当然也得予以尊重，使人有取消之权。不过取消不是随便怎么一来便可取消的，一定要依照遗嘱的方式。时间倒并没有限制，今天立了，明天就取消也不妨，或十年二十年以前立了，到十年二十年以后把它取消，也无不可。依照遗嘱方法，用自书遗嘱或公证遗嘱，或其他遗嘱的方式，都可由遗嘱人采用，漫无限制，一任自由。

另定遗嘱

第二个问题，立了一份遗嘱，可以随时另立遗嘱应该不成问题。因为人活着的时候，环境思想随时变动，决不是一成不变，如立了遗嘱，到某一时期认为不妥，而另行订立或者追加意思——当然还须合乎法定的条件——要无禁止的理由。所成为问题的，前后遗嘱发生冲突而已。前遗嘱并未正式“撤销”，那么二种遗嘱各有各的办法，将来本人死亡以后，处理发生困难，如何解决？譬如对于财产的处置，以前原定以房产给配偶，以现金给儿女，而后来的遗嘱却把二种东西给他们平均分配。二个遗嘱便有抵触，这种情形，依《民法》规定是这样的：“前后遗嘱有相抵触者，其抵触之部分，前遗嘱视为撤销。”那么房屋归于配偶，现金归于儿女的办法，应作无效；而要依照后遗嘱平均分配的办法办理了。以上所说的财产分配，也许是遗嘱的一部分，其他也许另有对于别项事情的处置，假使与后遗嘱并无抵触，关于这别一部分的前遗嘱，当然并不撤销，依然有效。

三联经典文库第二辑简目

《游击战教程》　明凡 / 著

《游击战术纲要》　陶剑青 / 编著

《汪精卫卖国的理论与实践》　钱俊瑞 / 著

《抗战以来》　韬奋 / 著

《陕行纪实》　楚云 / 著

《随军散记》　沙汀 / 著

《被日寇囚系半载记》　王研石 / 著

《倭营历险记》　房沧浪 / 著

《活跃的新西北》　田影 / 编著

《保卫华北的游击战》　刘清扬　陈北鸥等 / 著

《徐州突围》　《徐州突围》编委会 / 编

《沦亡的平津》　长江　小方等 / 著

《淞沪火线上》　胡兰畦等 / 著

《瞻回东战场》　长江　罗平 / 著

《东线的撤退》　胡兰畦等 / 著

《抗战中的西北》　徐盈 / 著

《鲁闽风云》　徐盈等 / 著

《西线生活》　西北战地服务团集体创作

《中国解放区见闻》　［美］福尔曼著 / 朱进译

《全面抗战论》　潘汉年 / 著

《日本的间谍》　范士白自述 / 尊闻译

《日本大陆政策的真面目》　国难资料编辑社 / 编

《民众动员论》　李公朴 / 著

《中国外交史》　钱亦石 / 编著

《太平洋军事地理》　蒋震华 / 著

《世界经济地理讲话》　思慕 / 著

《列强军力论》　［德］马克斯·威纳尔著 / 宾符　仲持　梅益等译

《近代国际关系史》　张铁生 / 著

《太平洋现势手册》　沈志远　石啸冲 / 编著

《近代世界政治史》　钱亦石 / 著

《从战争到和平——一九四五年的世界政治》　乔木 / 著

《战后日本问题》　思慕 / 著

《最近一年间的国际动态（1946.7–1947.6）》　《东北日报》社 / 编

《论政党》　翟放 / 著

《法与宪法》　韩幽桐 / 编著

《中华民国宪法刍议》　罗家衡 / 著

《民主·宪法·人权——作之民》　费孝通 / 著

《宪法论初步》　潘念之 / 著

《对反民主的抗争》　韬奋 / 著

《农村改进的理论与实际》　江恒源 / 著

《上海产业与上海职工》（上下）　朱邦兴　胡林阁　徐声 / 合编

《陶行知教育论文选辑》　陶行知著 / 方与严编

《中国通货膨胀论》　杨培新 / 著

《中国及其未完成的革命》　H·普拉特著 / 蒋天佐译

《中国的建设问题与人的训练》　卢作孚 / 著

《论中国特殊性及其他》　艾思奇 / 著

《中国经济问题讲话》　钱俊瑞　徐雪寒　王渔邨　姜君辰　骆耕漠 / 合著

《中国经济的道路》　许涤新 / 著

《中国财政之病态及其批判》　孙怀仁 / 著

《官僚资本论》　许涤新 / 著

《五四运动之史的评价》　陈端志 / 著

《中国通史简编》（上下）　中国历史研究会　范文澜 / 主编

《论文学的工农兵方向——读〈在延安文艺座谈会上的讲话〉》　雪苇 / 著

《中国近代史（上编　第一分册）》　武波 / 编著

《文学百题》　傅东华 / 编

《中国史学之进化》　周谷城 / 著

《论民族形式问题》　胡风 / 著

《论批评》　荃麟等 / 著

《中国史纲》（第一卷上下、第二卷上下）　翦伯赞 / 著

《近代中国思想学说史》（1–4）　侯外庐 / 著

《中国政治思想史》(上下)　　吕振羽 / 著

《中国哲学史纲要》　　向林冰 / 著

《中国政治史讲话》　　钱亦石 / 著

《中国社会经济史纲》　　王渔邨 / 著

《新财政学大纲》　　千家驹 / 著

《太平天国革命运动论文集——金田起义百周年纪念》

　华北大学历史研究室 / 编

《理性与自由——文化思想批评论文集》　　胡绳 / 著

《战斗者的诗人》　　黄药眠 / 著

《国语文法》　　曹朴 / 著

《教育哲学》　　张栗原 / 著

《妇女问题讲话》　　杜君慧 / 著

《婚姻 · 子女 · 继承》　　沙千里 / 著

《性教育新论》　　布士克　雅各生合著 / 董秋斯译

《狱中杂感》　　杜重远 / 著

《七人之狱》　　沙千里 / 著

《爱迪生传》　　伍况甫 / 译

《歌德自传》(上下)　　歌德著 / 思慕译

《尼赫鲁自传》　　[印度]尼赫鲁著 / 毕来译

《列宁传》　　[苏]凯尔任采夫著 / 企程　朔望译

《罗斯福总统传》　　C. Mackenzie 著 / 张尚之译

《托尔斯泰传》(1–3)　　[英]阿尔麦 · 莫德著 / 徐迟译

《革命文豪高尔基》　［美］亚历山大 · 康恩著 / 韬奋编译

《鲁迅纪念特辑》　新中国文艺社 / 编

《回忆鲁迅先生》　萧红 / 著

《人民文豪鲁迅》　平心 / 著

《亡友鲁迅印象记》　许寿裳 / 著

《鲁迅思想研究》　何干之 / 著

《鲁迅研究》　夏征农 / 编

《过来的时代：鲁迅论及其他》　雪峰 / 著

《电影戏剧表演术》　洪深 / 著

《日常心理漫谈》　［美］约瑟夫 · 查斯特罗著 / 曾宝施译

《心理常识漫话》　朱智贤　杨云美 / 著

《读书的方法与经验》　王任叔 / 著

《美国黑人生活纪实》　［美］加德维尔　斯坦倍克著 / 董秋斯译

《初访美国》　费孝通 / 著

《事业与成功》　［美］马尔腾著 / 汪原放译

《萍踪寄语（初集）》　韬奋 / 著

《一生的幸福前途——〈生活周刊〉信箱选集》　生活书店 / 编选

《深刻的印象》　生活周刊社 / 编

《海外的感受》　生活书店编译所 / 编